中国洪水管理战略研究

澳大利亚 GHD 公司
中国水利水电科学研究院(IWHR)
著

U0265944

黄 河 水 利 出 版 社

图书在版编目(CIP)数据

中国洪水管理战略研究/澳大利亚GHD公司,中国水利水电科学研究院(IWHR)著. —郑州：黄河水利出版社，2006.6
ISBN 7-80734-075-4

Ⅰ.中…　Ⅱ.①澳…　②中…　Ⅲ.防洪-研究-中国
Ⅳ.TV87

中国版本图书馆CIP数据核字(2006)第062119号

出 版 社:黄河水利出版社
地址:河南省郑州市金水路11号　　邮政编码:450003
发行单位:黄河水利出版社
发行部电话：0371-66026940　　传真：0371-66022620
E-mail：hhslcbs@126.com
承印单位:河南省瑞光印务股份有限公司
开本:787 mm×1 092 mm　1/16
印张:6.5
字数:125千字　　印数:1—1 100
版次:2006年6月第1版　　印次:2006年6月第1次印刷

书号:ISBN 7-80734-075-4/TV·459　　定价:20.00元

序

水能兴利，也能成患，雨洪更具有致灾和兴利的两面性。综观中国两千多年来江河防洪的策略，主流是依靠各种工程措施对洪水进行约束和疏导，其主导思想是与洪水斗争并战而胜之。但历史的经验告诉我们，作为一种自然现象，人类希冀完全消除洪水灾害的愿望是难以实现的。人类不可能也没有必要控制所有量级的洪水，人类必须学会与洪水和谐相处，通过工程建设和主动管理，将洪水灾害风险控制在一定的程度内。

1998年大洪水后，中国政府对洪水问题进行了深刻的思考，针对经济社会发展对水利提出的新要求，提出防洪工作要实现“从控制洪水向洪水管理转变”的战略性调整。

洪水管理的实质：一是实施风险管理，就是要通过防洪工程建设以及体制、机制创新和法制建设，有效地规避风险、承受风险和分担风险，提高化解和承担洪水风险的能力；二是规范人类活动，使之适应洪水的发生发展规律，避免或减少洪灾发生的社会动因，以趋利避害；三是推行洪水资源化。中国从总体上讲是一个水资源严重短缺的国家，并且时空分布不均，国情决定了我们必须在保证防洪安全的前提下，想方设法利用洪水资源。

2004年6月，《中国洪水管理战略研究》作为亚洲开发银行的技术援助项目正式立项。针对中国洪水管理现状，在广泛吸收和借鉴国际上洪水管理的成功经验的基础上，经过近两年的调查研究，提出了中国洪水管理战略的基本框架和行动计划。该项研究成果，将有助于推动中国实现从控制洪水向洪水管理的战略性转变，以适应中国洪水特性的变化以及经济、社会快速发展带来的日趋增长的防洪压力，充分发挥洪水管理的综合效益，支撑经济社会全面、协调与可持续地发展。

“要尊重自然规律，变控制洪水为洪水管理”，“给洪水以出路，视洪水为资源”，“善待洪水，就是善待人类自己”，这已成为新世纪人们应对洪涝灾害的全新理念。这是人类在与水、与自然博弈中得出的经验，也是人类对水、对自然认识的理性升华。人与洪水并非绝对势不两立，人水和谐相处才是可持续发展的本质。

2006年4月

“75·8”溃坝后的板桥水库惨景

1939年水淹津门

1931 年长江洪水吞没武汉

·灾 情

抚顺市胜利开发区民房被冲毁

广西梧州市水淹街道

江源县洪水

1998 年武汉大洪水

2005 年广西大洪水

马路镇遭受特大洪灾

三峡水利枢纽

·工 程 措 施

黄河大堤

荆江大堤

淮河入海水道淮安枢纽

开闸泄洪

小浪底水利枢纽

·非工程措施

防汛会商

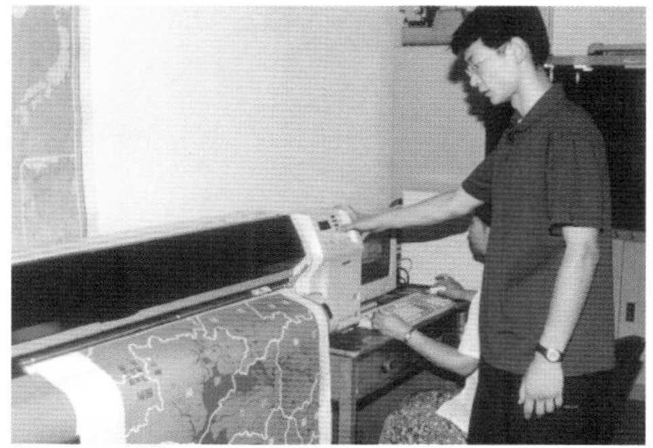

绘制洪水灾情监测评估成果

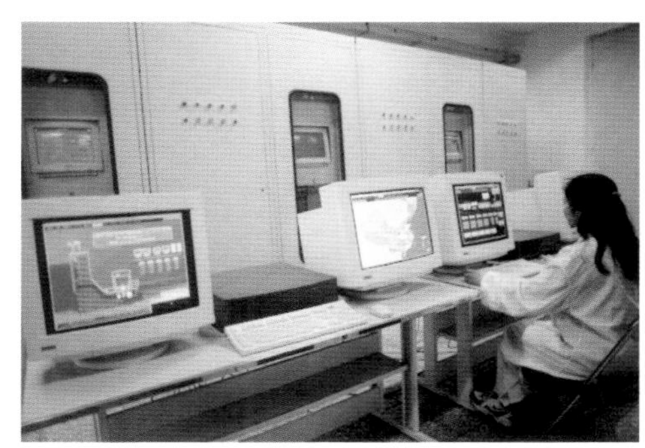

水电站计算监测系统

洪水预警系统

《中国洪水管理战略研究》

项目负责人

水利部	张志彤　孟志敏
亚洲开发银行	Richard S. Bolt　崔京爱
水利部项目办	于兴军
GHD 公司	邹进彰

主要参加人

水利部项目办	李　戈　付成伟　董雁飞　盛晓莉　王晋苏
GHD 公司	John W. Porter　Ian M. Garrard
	Paul Taylor　David J. Mitchell
中国水科院	程晓陶　向立云　黄金池　孙东亚
	李昌志　李　娜　何晓燕　吴玉成
	王艳艳　解家毕　万洪涛　倪　婧
	王建跃　赵进勇　杜晓鹤　姚秋玲
黄委移民局	左　萍
建设部	叶耀先
国土资源部	贾克敬

技术小组

李坤刚　关业祥　富曾慈　刘树坤　陈效国

目 录

1 前 言

1.1 项目立项背景与意义

1998 年大洪水之后，中国政府对洪水问题进行了深刻的思考，并针对经济社会发展对水利提出的新要求，明确了治水新思路，加大了治水的投入力度，对防洪工作重新做了战略性的调整，提出防洪工作要实现“从控制洪水向洪水管理转变”的战略性转变，科学调配洪水，提高防御水旱灾害的能力，实现人与自然和谐相处，保障经济社会的可持续发展。“中国洪水管理战略研究”项目针对中国洪水管理现状，从中国国情出发，广泛吸收和借鉴国际上洪水管理的成功经验，加强洪水管理战略与对策的研究，对于实践“从控制洪水向洪水管理转变”，全面解决水危机，实现以人为本，全面、协调、可持续的科学发展战略，进行洪水管理战略研究具有非常重要的意义。

(1)在洪水风险中求生存、谋发展是中国不可忽视的基本国情，是全面建设小康社会必须面对的现实。中国地处欧亚大陆东部，幅员辽阔，陆地与海洋之间物质、能量的交流条件复杂多变。从南部热带地区到北部温带地区，从受季风影响的中东部地区到干燥的西部内陆，降雨时空分布不均，年际变幅很大。中国地势总体上呈现西高东低的三级台地，孕育了众多东流入海的江河，这些江河从南至北分布在不同的气候带中，洪水特性有着显著的差异。江河泛滥、山洪暴发、暴雨内涝、凌汛成灾，以及沿海地区的风暴潮灾害等，各种类型的洪水在中国不仅分布广泛，而且发生频繁。据“十五”全国防洪规划统计，中国受洪水威胁的土地面积为 106 万 km^2，仅占国土总面积的 11.2%，但其中生活着 8.4 亿居民，占人口总数的 66%；有城市 407 座，占城市总面积的 61%；提供的国内生产总值则占到全国的 80%。改革开放以来，中国经济进入了快速增长的轨道，城镇化进程加速，大量人口和资产进一步向沿江沿海的城市聚集，洪水风险显著增大。在巨大的人口压力、土地需求压力、食品与水资源供给保障压力下，中国受洪水灾害威胁、但水土资源相对平衡的很多区域已经被高度开发利用。21 世纪上半叶，随着中国将向 16 亿人口增长，为满足经济发展的需求，中国将会长期面对“人水争地”的矛盾。

(2)21 世纪初期中国防洪工作和治水问题面临复杂的新形势。中华民族的发展自古就与“除水害、兴水利”密切相关，中国人民在防汛、抗洪、抢险、救灾方面积累了丰富的经验。防洪作为关系人民群众生命财产安全和国家发展的大事，已经形成了一整套防洪工程建设与管理的体系，并建立了强有力的防汛指挥与组织体系，为减轻水灾损失发挥着重要的作用。当前，受大规模人类活动与环境演变的影响，中国防洪形势在孕灾环境、洪水特性、成灾区域、受灾对象与水灾损失构成、流域总体防洪能力、区域之间基于洪水风险的利害关系、防洪管理的手段与技术需求等方面，都发生了显著而深刻的变化。随着社会经济的发展，人们的防洪安全保障需求在不断提高；而在计划经济时期形成的防洪体系，一些传统有效的治水手段与管理模式已经面临严峻的挑战。同时，水资源短缺、水环境恶化、水土流失加剧，正在使古老的防洪问题变得更为复杂、艰巨。作为发展中国家，大规模的治水活动受经济、技术、观念、体制等因素的制约更为苛刻。

(3)中国推行洪水管理必须探索适合自身国情的道路。推行治水新思路和向洪水管理转变，是针对中国经济社会快速发展时期面临的治水新问题而提出的。世界上许多国家，在20世纪也经历了类似的经济快速发展时期，它们也先后不同程度地对治水方略做出了战略性的调整，以适应防洪形势的变化并满足随经济发展而不断提出的更高、更多的防洪安全保障需求。一些发达国家，如英国和莱茵河流域的欧洲国家，近年来遭受了严重的洪涝灾害，由此也引发了对洪水管理战略的重新评价和修订，认识到不断提高工程保护标准与扩大工程保护范围的局限性和副作用，更加强调与洪水共存、还洪水以空间等人与自然和谐的治水新理念。中国近年来治水理念也进行了相应的调整，然而在实践中又碰到了许多令人深思的问题。无论是靠短期高投入提高某些局部地区的防洪标准，还是大规模强制迁出高风险区中的人口，虽然都能够达到减少洪灾损失的目的，但是，在提高政府威信、维持社会安定、支撑经济发展、保障粮食安全、克服水资源短缺与水环境污染的危机等方面，又暴露出一些深层次的矛盾。实践表明，中国与发达国家处于不同的经济发展阶段，治水的对象、需求与约束条件有着显著的差异。因此，参照国际社会洪水管理的经验，以唯物辩证法、科学发展观和风险管理理论为指导，在总结升华中国传统治水经验与教训的基础上，探索适合中国国情的洪水管理模式，是使防汛工作适应中国经济社会发展新形势，支撑全面建设小康社会，保障经济社会可持续发展的必由之路。

(4)开展中国洪水管理战略研究是推进向洪水管理转变的迫切需求。向洪水管理转变，涉及到治水理念的调整、体制机制的变革、技术手段的更新、保障措施的完善、“瓶颈”约束的突破等一系列重大问题。这是一项需要长期坚持、经过不断努力才可能实现的战略任务。为了把握向洪水管理转变的战略方向，合理选择与分解远期与近期的战略目标，探索可行的发展道路与适宜的推进模式，就必须加强洪水管理战略的研究，通过建立适合中国国情的洪水风险管理理论，大力普及洪水管理的科学理念，使其真正具备指导实践的价值和克服各种干扰的力量。

但是，对于洪水综合管理，从基本的概念、基础的理论到具有实践意义的管理体制、管理方法、管理流程、洪水综合管理的再评估，等等，至今在中国仍然处于较为模糊的、探索性的、亟待研究的阶段。因此，加强洪水综合管理的研究非常迫切和重要。

1.2 研究目标、内容与方法

1.2.1 研究目标

在广泛吸收和借鉴国外先进的洪水管理理念与经验教训的基础上，结合中国现实社会经济发展状况，以及区域自然地理环境的差异，制定出适合中国基本国情的洪水管理战略框架和行动计划，推动中国实现从控制洪水向洪水管理的战略性转变，以适应中国洪水特性的变化以及经济、社会快速发展带来的日趋增长的防洪压力，充分发挥洪水管理的综合效益，支撑经济社会全面、协调与可持续地发展。

1.2.2 研究内容

(1)建立洪水管理理念体系。研究洪水管理的发展历程、基本概念、主要方法、典型模式、工作程序、未来趋势、洪水管理再评价，等等。

(2)研究国际社会洪水管理的经验与发展趋向。研究国外洪水管理的先进理念和方法，国际社会在洪水管理工作中取得的成功经验和失败的教训，分析国外典型国家在不同的经济发展阶段，在洪水管理方面的法规政策体系、机构设置、工作程序、主要措施等的演变过程和发展趋向，以便结合中国国情，探讨中国的洪水管理战略，制定行动计划。

(3)分析中国推行洪水管理的需求、面临的问题与制约因素。分析中国推行洪水管理的有利条件和约束条件，具体包括中国的法律与行政、工程措施、经济社会发展、技术进步以及认知和观念意识变化等方面的现实情况，从而确定分析对洪水管理的有利条件和约束条件，并深入认识这些约束条件的约束方式、约束强度和约束时间，以及它们的变化规律。

(4)提出中国的洪水管理战略框架。研究适合中国国情的洪水管理战略框架，包括洪水管理在保障国民经济发展中的战略地位、具体的战略任务和目标、实现这些任务和目标的基本原则及重大战略措施等内容。

(5)制定中国推进洪水管理战略的行动计划。在以上分析和研究的基础上，提出中国推进洪水管理战略的行动计划，包括实现洪水管理的战略任务和目标、行动的依据、事项、实施主体、实现途径与保障措施，以及各项工作的轻重缓急和开展顺序。在此基础上，形成推进洪水管理战略在近期、中期和远期的行动计划，指导洪水管理在中国的具体实践。

1.2.3 研究方法

为从战略高度探讨对中国新时期洪水管理实践有指导意义的理念与方略，明确实施洪水管理的战略目标、运作模式与推进机制，项目研究采用了“中外结合，充分借鉴；立足国情，实地调研；科学管理，阶段进行；广泛咨询，大力宣传”的技术路线和多种研究方法。除常用的对比与类比、归纳与演绎、分析与综合等方法外，还采用了典型调研和系统分析等方法和路线开展研究。

(1)典型调研法。中国地域广阔，地形地貌和气候条件复杂多样，洪水灾害类型众多，各地经济社会发展水平也大不相同。课题小组采用典型调研法，对河北、陕西、安徽、湖南、浙江、广东 6 个典型省份进行中国当前洪水管理诸方面实践的实地调研。调研省份的选择，基本上反映了中国的洪水管理实践在不同经济发展水平(东部、中部、西部)、不同气候地区(南方、北方)以及不同洪水类型(平原洪水、山洪、蓄滞洪区洪水、湖泊洪水、台风洪水、海岸洪水等)的基本模式。

(2)系统分析法。洪水管理是一项社会工程，涉及水利、气象、国土、交通、民政等诸多部门和行业；既需要各部门责权分明，又需要他们大力协作；还要求平衡各种措施，最大限度地减小洪水灾害风险，实现最大效益；既有高效有序的日常工作，也有十万火急的应急事件处理。运用系统分析法，有利于从现实出发，认真进行问题分析、需求分析与约束条件分析，综合考虑自然、政治、社会、经济与环境等方面的影响因素，把握未来发展趋向，在深刻认识区域洪水风险特性差异与变化特点的基础上，开展中国洪水管理战略的研究。

1.3 项目组织与重要活动

1.3.1 项目组织

2004 年 6 月，“中国洪水管理战略研究”作为亚洲开发银行(以下简称“亚行”)的技术援助项目立项。水利部作为项目执行机构设立了项目管理办公室，并成立了专家咨询小组，澳大利亚 GHD 咨询公司与中国水利水电科学研究院共同承担了项目的研究工作。

1.3.2 重要活动

为实现项目研究目标，取得预期成果，根据项目大纲的要求，项目进行过程中开展了以下重要活动。

1.3.2.1 举行学术研讨会

2004 年 11 月 25 日，召开第 1 次学术研讨会。项目小组汇报了整个项目的工作计划、行动方案以及初始阶段的工作成果。与会专家对项目的研究目标、内容、方案等，从提升研究层面、加强洪水管理框架研究、合理选择调研地点、研究成果的综合性和实用性等方面，提出了指导性的意见和建议。

2005 年 4 月 25～26 日，召开第 2 次学术研讨会。水利部在京有关单位、各流域机构和重点省份的防汛部门、国家发展和改革委员会、民政部、财政部、国土资源部以及亚行、澳大利亚国际发展署等单位的代表，以及来自美国、日本与荷兰的洪水管理专家参加了会议。项目组中外专家与相关部门进一步了解了国际上洪水管理的实践经验，广泛吸取各方面的意见和建议。

2005 年 12 月 6 日，召开第 3 次学术研讨会。项目小组汇报整个项目的完成情况，提交中国洪水管理战略框架和行动计划。

1.3.2.2 中国现行防洪管理实践调研

项目开展过程中，选择了河北、陕西、安徽、湖南、浙江和广东等 6 个省份开展中国当前防洪管理现状的案例研究。调研省份的选择力图反映出中国的主要洪水类型和发展中的多样化模式；调研内容包括各省自然、社会、经济的基本情况，河流管理基本情况，工程措施和非工程措施现状，洪水灾害回顾以及存在的主要问题等，以制定科学的洪水管理战略。

1.3.2.3 专家咨询

项目进行过程中，为了吸取专家的观点、知识和建议，还分别在典型省份洪水管理调研前、战略框架形成前和参考手册初稿形成时，以及项目需要时，多次召开技术专家小组的会议，向专家小组进行咨询。为了吸收更加广泛的意见，以及提高行动计划中提出的行动效率，项目组先后拜访了国家防汛抗旱总指挥部办公室、国土资源部、民政部、建设部等部门，向这些部门的领导和专家进行了咨询。

1.3.2.4 研究成果发布

项目组准备了丰富的公开出版物和宣传材料，在政府组织、非政府组织、学术界中传播，并向大众进行宣传；在水利部网站和“中国防汛抗旱网”上发布、更新宣传材料和其他相关信息，包括会议介绍、研究成果、中英文宣传资料；编制参考手册，为其出版和在省级政府中的发布做好准备。在 2005 年 12 月的全国防汛抗旱工作会议上，发布了研究成果。

1.4 本书内容安排

本书共分为 6 章，各章内容安排如下：

第 1 章“前言”，介绍“中国洪水管理战略研究”项目立项背景，项目研究目标、内容和方法，项目组织与重要活动。

第 2 章“洪水管理基本理念”，首先分析了洪水的灾害特性、资源特性和环境特性，以及洪水利害两重性及其相互转换特性；然后从概念、分类以及可管理性等方面阐述了洪水风险。在此基础上，探讨了洪水管理理念，内容包括洪水管理概念与内涵、主要管理内容及其特征、洪水管理的特点与本质、洪水管理战略及特性。

第 3 章“国际社会洪水管理实践”，首先介绍了洪水管理理念的产生背景，以及国际社会若干国家的洪水管理实践情况，进而探讨了国际社会推进洪水管理的主要特点和共同趋向。在此基础上，分析、归纳和总结了国际社会推进洪水管理的主要经验和教训。

第 4 章“中国推进洪水管理战略的基础分析”，首先简要回顾了中国治水历史；然后根据 6 个典型省份的实地调研情况，并结合其他大量资料，对中国防洪管理现状进行了评述，并分析了中国推行洪水管理的问题；最后，从法规与行政管理体制、社会与价值观念、经济、认知、技术与信息、环境与生态等方面，深入分析了中国推进洪水管理战略的制约因素。

第 5 章“中国洪水管理战略框架”，建立在第 2、第 3、第 4 章的基础上。首先分析了洪水管理战略框架的地位和作用；然后介绍了制定战略目标的指导思想、基本原则和战略目标；最后，阐述了中国洪水管理战略的基本框架，包括总体战略、三项重点战略任务、五项关键内容、推进中国向洪水管理转变的五大战略措施，以及洪水管理战略的运作模式与推进机制。

第 6 章“中国洪水管理战略行动计划”，介绍了推进中国洪水管理战略行动计划的主要内容和近期重点任务。

2 洪水管理基本理念

洪水管理的理念，是人类为了应对现代社会中日趋复杂、沿袭传统经验与手段已难以解决的治水新问题而建立起来的，并随着人类对洪水特性与洪水风险认识的逐步深化而不断发展和完善。

2.1 洪水特性

洪水既有其灾害特性，亦有其资源特性与环境特性，三者之间存在着复杂的交互影响与转化关系(见图 2.1)。全面理解洪水的灾害特性、资源特性与环境特性及其相互之间的关系，将为科学制定洪水管理战略奠定认识的基础。

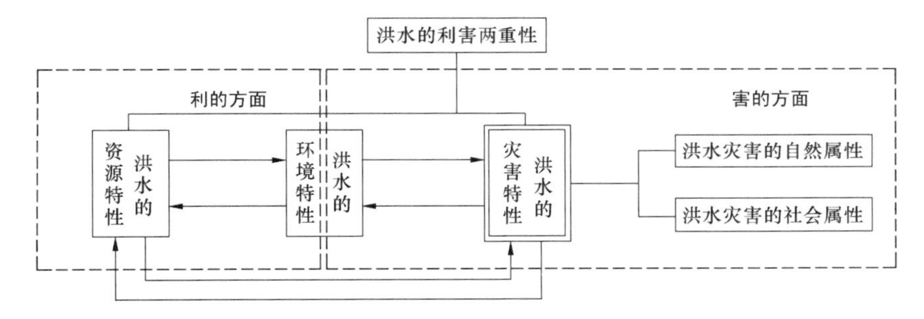

图 2.1 洪水的基本特性

2.1.1 洪水的灾害特性

历史上，洪水常被视为猛兽，又称洪魔，且有“五害之属水为大”之说。山洪、凌汛、决堤、溃坝、江河漫溢、渍涝积水，以及风暴潮等各种类型的洪水，一旦发生，往往会给生命财产造成严重的损失，扰乱社会经济发展的正常秩序。

2.1.1.1 洪水灾害的双重属性

虽然洪水灾害一直被划分为自然灾害，但是洪水灾害具有自然与社会的双重属性(周魁一，1998)。

一方面，超出人类适应与调控能力的超常洪水，往往与超常的降雨或风暴条件有关。而超常天气的出现，又是复杂的天体外力及大的气候与地理环境因素相互作用的结果。宏观的孕灾环境与致灾外力，决定了洪水灾害的自然属性。而标志洪水致灾能力的水文特性、水动力学特性与水沙运动特性也是水流泥沙运动的自然属性。洪水的自然属性是自然科学研究的对象。

另一方面,大规模的人类活动已足以对洪水的时空分布特征产生显著的影响。人类活动对洪水的影响同样也具有两重性。防洪工程体系的兴建，增加了人类调控洪水的能力，可以有效地减轻洪水的危害。相关地，尤其是近代，随着人口的快速增长与人类改造自然能力的增强，在粮食需求与土地需求的巨大压力下，与水争地、与山争地的活动愈演愈烈。森林植被减少、水土流失加剧、河湖淤塞围垦、城市面积扩张，流域的面貌发生了很大的变化，流域固有的产汇流特性与蓄滞水功能显著丧失，使得洪水往往表现出明显出乎人们经验认识的“异常”现象，并且人为制造出了水库溃坝等新的水灾类型。由于水灾威胁区域内人口、资产密度的提高，使得同样规模的洪水所造成的损失大为增加；同时，现代社会经济活动对交通、通信、金融、能源供给、物资流通等网络系统的依赖性大为增加，水灾损失的影响往往大大超出受淹的范围，灾区的概念日益模糊。诸如此类由于人类活动与社会经济发展引起的洪水孕灾环境、致灾力量、承灾对象与灾害影响的变化特征，可以归结为水灾的社会属性。

水灾的社会属性与水灾的自然属性往往处于交互影响的状态。例如近年来连续发生的淮河污染事件就有人为因素，而巨大的污水团随洪峰下泄过程中的输移扩散特性，又是由自然力所控制的。因此，洪水的社会属性是社会科学与自然科学跨学科联合研究的对象。

显然，为了建立与社会经济发展需求相适应的防洪减灾体系，单纯依赖自然科学是不够的，而需要同时重视社会科学的研究。只有既考虑洪水灾害的自然属性，又重视洪水灾害的社会属性，才能全面、科学地做好防洪减灾工作(见图 2.2)。

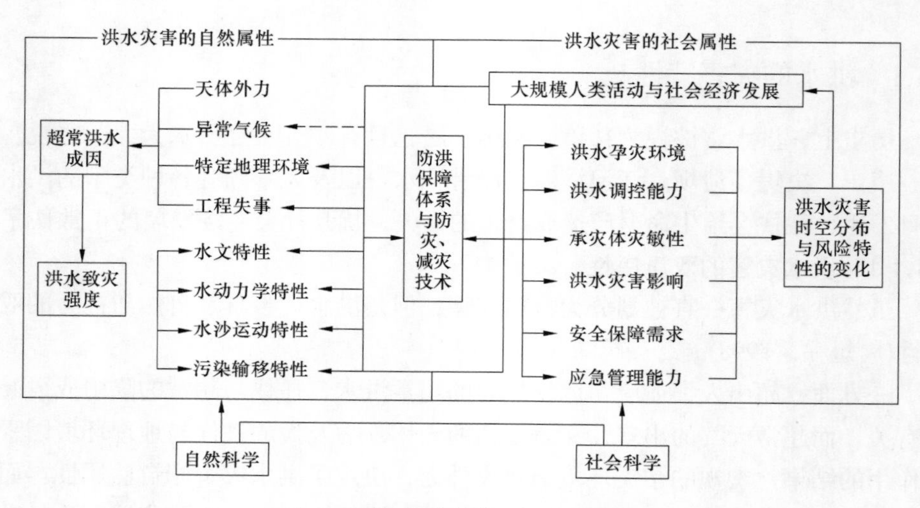

图 2.2　防洪减灾涉及的学科领域

2.1.1.2 洪水灾害的可调控性与不可避免性

在一定范围内的洪水灾害是可调控的，这是水灾的一个重要特点。以法律、行政、经济、教育、技术等综合手段，推动、实施有利于全局和长远利益的工程措施，理性增强对洪水的调控能力，是削弱洪水的危害性，除害兴利的有效方式。

然而，人类对洪水的调控能力是有限度的，洪水灾害的发生具有“不可避免性”(刘树坤等，1993)。自然灾害不可避免的原因，不仅在于超常自然外力的不可抗拒，而且包含了人为影响的不可避免性。由于认识上的局限性等，人们不能保证一定能消除自己工作中的失误。因此，防洪减灾的成败在一定程度上还取决于建立良好的管理体制与运作机制。

由于洪水给人类社会造成巨大的伤害，长期以来，人们总是希望寻求到一条根治洪水的办法，但这种希望只能是一种幻想，是不现实的。依靠短期的高投入，掀起一个治水高潮，短期内就想达到根治洪水的目的，也是不切实际的。事实上，任何地区的防洪工程体系只能达到一定的标准，超标准洪水发生的可能性总是存在的。随着自然环境的演变与社会经济的发展，如维护不力，流域已有的防洪能力往往会呈现自然衰减的状态。洪水灾害不可避免的基本特性，决定了防洪减灾工作的长期性、艰巨性与复杂性。根治洪水既不经济，也不可能，且不合理。

2.1.2 洪水的资源特性与环境特性

洪水是自然界中水循环的一种基本现象，也是维持自然界生态系统平衡的环境要素。在中国受季风影响的广大地区，每年汛期的几场暴雨洪水往往是区域淡水资源的主要补给形式。洪水塑造出来的洪积扇与冲积平原，为人类创造了更为有利的生存环境；洪水泛滥可大量回补地下水，使靠地下水涵养的生态系统得以维持；依靠汛期洪水补给而存留的湿地，为保持生物多样性创造了条件。

然而，过去洪水的资源特性与环境特性往往被人们所忽视，尽管人们修水库、建塘坝、拦蓄洪水，但求的是化“害”为利，并没有将“水多为患”的洪水本身当做“资源”；从环境角度所看到的，也主要是洪水对人类生存环境所造成的各种破坏——冲毁家园、沙压良田、疫病流行、污水横流、垃圾遍野等。

随着社会经济的发展，尤其是伴随工业化、城市化的进程，人类社会的用水量与用水保证率需求都显著提高；同时由于水环境的污染加剧，进一步减少了可利用的水资源，使得以往不缺水的年份也严重缺水起来。为此，人们的观念开始改变，意识到“洪水也是资源”，要改变以往“入海为安”的治水方略，考虑如何充分利用已有的防洪工程体系，通过调整汛限水位和水库优化调度等方式，加大拦蓄洪水的能力，以丰补枯，增加可利用的水资源(见图 2.3)。同时，大水之后，人们看到河湖水系中的污水得以置换，地下水得以回补，宝贵的湿地得以重现，河道的行洪能力得以恢复，又认识到了洪水的环境特性及其有利的方面。

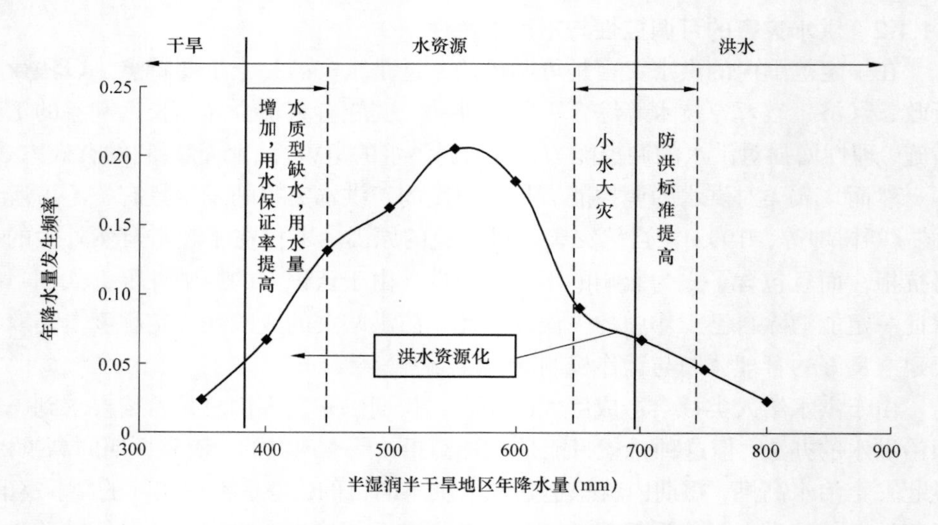

图 2.3　现代社会中洪水资源化的需求与可能

2.1.3　洪水利害两重性及其相互转换特性

“祸兮，福之所依；福兮，祸之所伏”。中国古代传下的这句名言，代表了中华民族长期以来形成的辩证的祸福观。表 2.1 从不同的时间尺度和不同的视点分析了洪水的利害两重性及其相互转换关系。

表 2.1　洪水的利害两重性

考察的视点	利的特性	害的特性
长期的视点	将水土资源从条件恶劣的山区输送到平原与河口地区，创造出了有利于人类生存与发展的环境	在不当的人类活动影响下，流域上游过度的水土流失可能导致生态与环境难以逆转的恶化，如石漠化现象
短期的视点	缓解水资源短缺矛盾，补充地下水源，改善土壤条件，改善河湖水质，恢复河道的行洪能力	造成人畜伤亡、资产损失，冲毁良田，诱发疫病，扰乱正常的生产、生活秩序，加重财政负担
区域的视点	某些地区可能因此而在资源、环境、经济等方面受益，并能维持局部湿地与保持生物多样性	灾区遭受洪水破坏，生态与环境恶化，灾后重建负担重；某些地区因交通、通信、供电中断等遭受间接损失
可持续发展的视点	大自然对人类不当行为的惩罚，是制约人类非理性活动的一种力量	在政治、经济落后地区，可能成为长期难以脱贫的原因之一；若发展模式或治水对策不当，会形成恶性循环

注：表中箭头表示利害的转换关系。

需要强调的是，洪水的利害关系是可能相互转换的。长期的获利可能要付出短期的代价；而短期的急功近利又可能危害长远的根本利益。局部地区为确保安全可能以相邻地区的损失为代价，所谓“以邻为壑”；而某些方面的损失又可能在其他方面得到补偿，可谓“焉知非福”。

当今，人们已经认识到“洪水也是资源”，在这种朴素认识与利益需求的支配下，各种工程措施就可能成为区域之间争夺“洪水资源”的手段。但是，洪水的资源特性，除了满足人类用水需求之外，还有保持河道行洪能力、补充地下水源、维持生态系统平衡等多种功能。单纯强调洪水资源为人所用，就有可能加剧区域之间的矛盾、人与自然的矛盾，导致生态与环境的危机。今天，人们已经认识到要“与自然和谐共处”，然而，自然界中任何区域的生态系统总是适应当地占优势的环境要素而生存的，当环境要素的变幅超出生态系统可承受的限度时，必然会带来灾难性的影响。因此，当人们希望与洪水共存时，千万不能忘记洪水还有肆虐的本性，适度标准的防洪工程体系，是实现人类与洪水和谐共处的必要基础。

值得注意的是，洪水的利害两重性与其转换关系因区域、洪水规模量级而异。不同气候地理条件下，洪水表现出的利害关系会有显著的不同，而同一区域遭受不同规模的洪水时，洪水的利害转换关系也有明显的差异。因此，人类治水活动的成败，关键在于如何顺应自然，遵循规律，因势利导，因地制宜，趋利避害，化害为利，既满足发展的需求，又保障可持续的发展。

2.2 洪水风险

洪水风险，是中国当代治水活动中新兴的一个理念。对洪水风险的探讨，首先应该强调的是寻求一种更加合理的治水理念，一种更为有效的治水模式。探讨的目的是协调处理好人与洪水之间、人与人之间基于洪水风险的利害关系，以利于解决沿袭传统治水理念与方法已经难以处理的治水新问题。

2.2.1 洪水风险的基本概念

洪水风险的概念既不是洪水现象本身，也不等同于洪水灾害或洪水损失。以往所言“洪水风险”，通常是指发生由洪水造成损失与伤害的可能性。实践中，人们体会到洪水风险是动态变化的。现状条件下的风险称为“当前风险”；未来社会经济发展与防洪条件改变后的风险称为“未来风险”；防洪能力提高后依然存在的风险称为“残余风险”。

由于气候变化、流域地形地貌的改变与社会经济的发展，人们已经难以简单地利用历史洪水事件及相应的损失数据来描述未来的洪水风险，为此需要建立新的方法。近年来，由欧洲保险业提出的风险三角形概念，已经被广泛采用(Crichton，1999)。

该定义认为“风险(Risk)”是可能产生的损失，取决于三个要素——危险性(Hazard)、承灾体受灾可能性(Exposure)和承灾体易损性(Vulnerability)。这三要素好像三角形的三条边，任意一条边伸长或缩短了，三角型的面积即风险就会增大或减小(见图 2.4)。这一方法不仅使风险的评估成为可能，而且可以分别针对风险的三个要素制定各种减灾对策。对于保险业来说，为了减小理赔的压力，所考虑的总是如何才能降低风险。

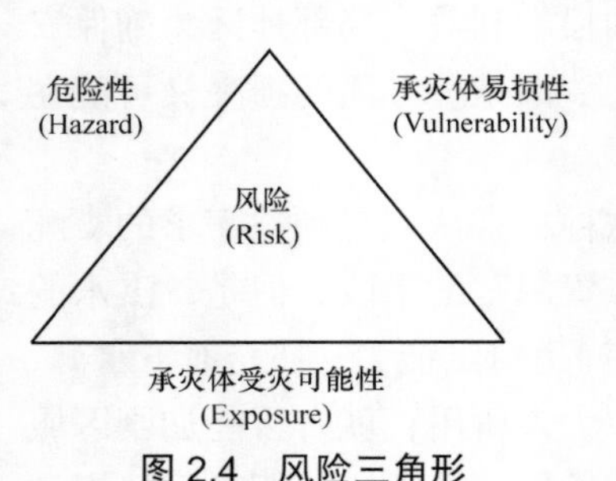

图 2.4 风险三角形

这一概念已经被用于描述洪水的风险，即洪水风险可以表示为“洪水危险性”×“可能受灾对象”(即人和当前财产)×“易损性”(即缺少抵抗力或者缺少准备)(Kron, 2002)。洪水危险性存在于任何因洪水而可能遭受伤害、损失或损害的地方，与洪水水深、流速、洪量、洪峰流量、受淹持续时间等因素密切相关，而洪水风险则存在于任何易于或可能导致人、财产和基础设施遭受洪灾损失的地方。

然而，从洪水管理战略的高度来看，以上洪水风险的概念主要集中于经济方面，仅局限于这样的认识还是不够的，洪水风险还与洪水事件产生政治、社会和环境影响有关。同时，洪水风险还涉及到人类的防灾能力，以及是否恰当地运用好防灾能力。如前所述，洪水事件不仅会造成损失与伤害，也同时会带来获利的机遇；而局部地区一味消除洪水风险，又难免将洪水风险转移到其他地区。洪水风险往往涉及到客观存在于人与自然之间、人与人之间基于洪水风险的利害关系。因此，洪水风险的研究，实质上是探讨如何更为合理地处理人与自然的关系以及在与洪水相处中人与人的关系。本书后文习惯性地沿用“降低风险”、“避免加重风险”等说法时，其含义与“促使利害关系向有利的方面转化”、“避免利害关系的进一步恶化”等是一致的。

2.2.2 洪水风险的分类

洪水风险管理的措施，需要根据管理对象的具体特点来确定。洪水风险的分类，有助于洪水风险的分析与评价，有助于风险管理战略的制定，有助于防洪减灾对策的选择。洪水风险可以分成多种类型，概述如下。

2.2.2.1 积极的风险与消极的风险

由于洪水风险具有利害两重性，因此首先可将其区分为积极的风险与消极的风险。

积极的风险：①洪水事件产生的后果，本身具有利害两重性。比如洪水泛滥，造成了财产损失，但同时可能补充水源，改良土壤，改善环境，对于半干旱地区，后者尤为重要。对于此类风险，关键不是消除洪水事件本身，而是如何趋利避害，比如通过控制洪水的淹没范围、淹没深度、淹没时间等，在尽量减少损失的同时争取洪水利用的最大效益。②非冒险不得其利的风险。比如为提高水库供水保证率而调整汛限水位，但可能因此而增大水库应急泄洪的概率。在这种情况下，风险越大，可能的利益越大，可能的损失也越大。风险超出一定限度的方案，可能是损失无法承受的方案；而风险最小的方案又可能是无利可图甚至在其他方面带来不利影响的方案。因此，在这种情况下，往往不是以风险最小作为决策选择的依据，而需要加强暴雨洪水的监测预报，审时度势，精心调度，量力而行。

消极的风险：比如病险水库，汛期不能正常发挥调蓄洪水的功能，一旦溃坝，将造成毁灭性的灾难。消极的风险是一种必须全力预防、尽力消除的风险。

2.2.2.2 短期风险与长期风险

洪水的风险从发生时间的早晚与持续时间的长短，可以分成短期风险与长期风险。

短期风险：①近期内存在的风险，后果可能较明确。比如施工期间的水库与大洪水遭遇的风险，需要有针对性地采取适当的防范措施。②事件发生之后，影响时间较短的风险。比如电力系统遭受水灾之后，立即会导致一定范围的停电，一旦险情与故障排除，供电即能恢复正常。对于短期风险，关键是对可能发生的情况作出充分的估计，做好应急的预案，并采取适当的临时性的防范措施。

长期风险：①影响长期存在的风险。水库建成之后，水库上游库区土地面临新增的水库高水位蓄洪时受淹的风险。②影响要在较长时间之后才可能显现出来的风险。事件可能发生在较远的未来，部分后果可能是明确的，如水利工程老化后产生的风险。对于长期风险，关键是探讨与风险共存的发展模式，有计划地采取永久性的防范措施。

2.2.2.3 可承受的风险与不可承受的风险

从洪水事件对承灾体影响的程度，可以将风险分为可承受的风险与不可承受的风险。

可承受的风险：洪水淹没范围、受灾人口、人员伤亡与资产损失等占相应各项指标的比重很小，不至于引起社会的动荡、金融的波动、秩序的紊乱、企业的破产、人员的大量伤亡等。少数重灾区能够得到社会的有效救援，快速恢复重建。

不可承受的风险：损失占家庭、企业与社会资产的比重过大，严重妨碍了正常的生产、生活秩序，超出社会的救助能力，导致社会的紊乱与经济的波动，短期内无力消除水灾损失的恶劣影响等。

显然，风险的可承受性是一个相对的概念。只有在发展经济的同时，加强防灾体系的建设，有效抑制水灾损失急速增长的趋向，才可能提高水灾的承受能力。对于不可承受的风险，则必须要考虑建立合理的分担风险的措施，使得风险在时间与空间上化解为可承受的风险，以减小特大洪涝灾害对经济社会的冲击。

2.2.2.4　固有风险与附加风险

根据区域间洪水风险的关系，可以将风险区分为固有风险与附加风险。

固有风险：指区域本身可能面临的风险。如蓄滞洪区，历史上都是调蓄天然洪水的相对低洼的地区，在没有分洪工程的情况下，本身就面临着受淹的可能性。

附加风险：指局部地区防洪标准提高之后使得其他地区风险加重的部分。例如，由于重要地区确保安全而使得其他地区损失加重部分的风险。附加风险应该得到受益地区的补偿。

因此，固有风险是应该设法减轻到可承受限度的风险；附加风险是应该尽力避免或给予补偿的风险。重要的城市地区为了提高安全保障水平，在转移风险不可避免的情况下，对于增大了附加风险的地区，应该考虑补偿。分洪区运用之后，受益地区补偿给分洪区的应该是附加风险的部分，而不是全部的损失。

2.2.2.5　内部风险与外部风险

针对防洪系统内外来说，洪水风险可以分为内部风险与外部风险。

内部风险：防洪体系本身产生的风险，如溃坝风险、溃堤风险、洪水预报失误造成的风险、防汛抢险措施失当的风险、防洪调度指挥失误的风险等。

外部风险：防洪体系所面对的自然系统、社会系统各方面存在的各种风险。

内部风险问题，主要通过本系统的管理、维护以及管理与技术人员的培训等方式解决。外部风险问题，有赖于整个防灾系统的完善。

2.2.2.6　可控制的风险与不可控制的风险

根据洪水的规模与实际控制的能力，洪水事件的风险可以区分为可控制的风险与不可控制的风险。

可控制的风险：在监测、预测、调度指挥及工程系统可靠的情况下，处于控制能力之内的风险；在法律制度完善与执法有力的情况下，人为造成或加重的风险。

不可控制的风险：超出控制能力的风险；社会无序状态下人为加重的风险。

风险的可控制性，是一个与控制能力相对的概念。防洪基础设施的建设与法制社会的逐步完善是提高控制能力的主要方向。

2.2.2.7　可规避的风险与不可规避的风险

根据区域洪水的特性与成灾体的特性，洪水风险可以区分为可规避的风险与不可规避的风险。

可规避的风险：通过采取必要的措施，在洪水期间可以规避的风险。

不可规避的风险：在洪水期间无有效措施可供采取的无法规避的风险。

在针对具体的区域进行洪水风险分析时，除了上述七种特性之外，还可以归纳出更多的特性。然后，进行树状分析，其结论有助于比较客观而理性地进行风险的选择。在通过风险的决策，把握了大的方向之后，再转入详细的减灾对策的研究阶段。

2.2.3 洪水风险的可管理性

今天，在自然外力与人类活动的双重影响下，同样的天气条件，可以形成不同的降雨时空分布；同样的降雨可以形成不同的洪水过程；同样的洪水可以形成不同的淹没状况；同样的淹没可以导致不同的损失；同样的损失可以形成不同的灾难性影响。所有各环节上的不同，都与人类理性与非理性活动的综合效果有关(见图 2.5)。洪水管理就是在这一系列的不确定性中，通过建立健全、合理有效地运作防洪减灾的各相关系统，争取最有利的成效(见图 2.6)。

图 2.5 中值得特别说明的是排在最后的"灾害影响"这一环节，水灾的影响涉及到政治、经济、社会、生态与环境等多个方面，如表 2.2 所示。

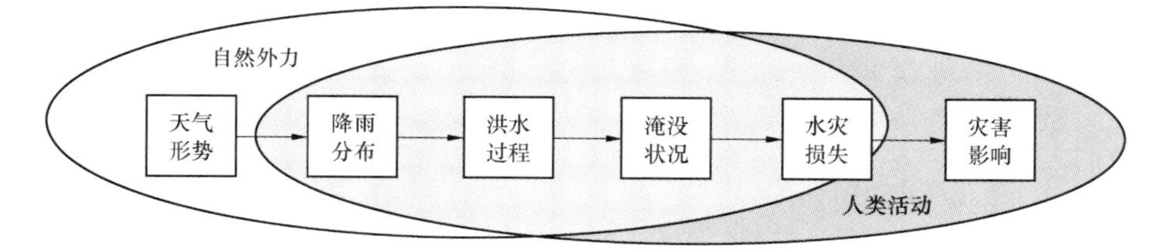

图 2.5 洪水管理的各个环节与可改变的后果

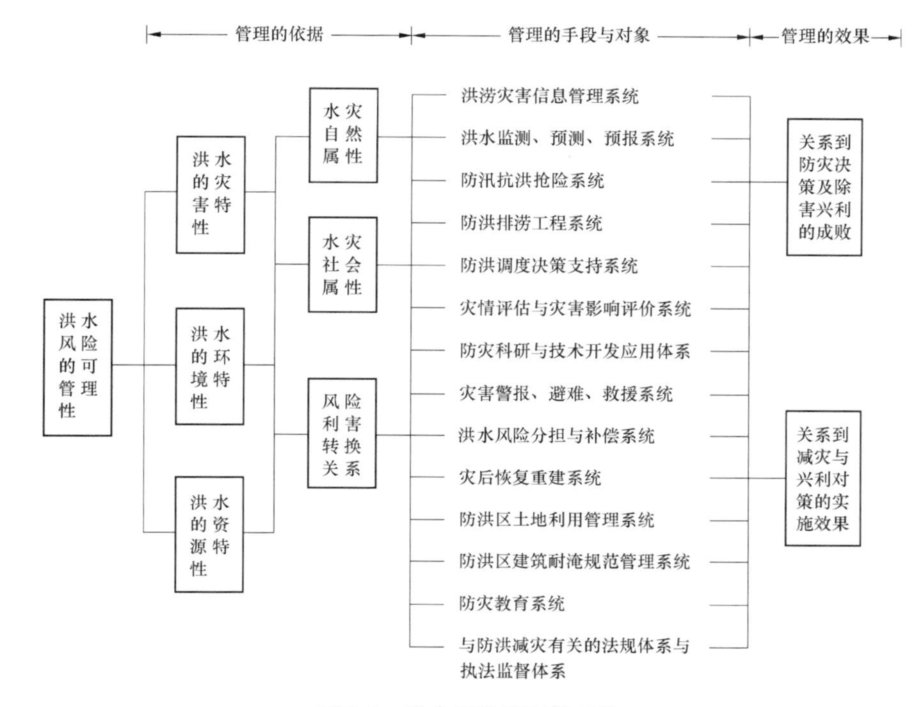

图 2.6 洪水风险的可管理性

表 2.2 洪水灾害的影响评价

影响	可能的正面影响	可能的负面影响
政治影响	抗灾救灾决策正确，措施得力，能公正处理水灾风险的利害关系，政府威信提高，执政党地位更加巩固	决策失误，官员渎职，抗灾救灾不力，确保安全承诺过高却无力兑现，政府形象受损
经济影响	水灾损失在可承受的限度之内，未对经济产生过大的冲击；生产快速恢复且有后劲，从洪水资源化与洪泛区土地利用中获取更大经济效益	水灾损失过重，波及范围广，超出承受能力；灾区长期难以恢复正常生产；生产力受到破坏；人为加重损失，或是损失搬家；减灾代价过大
社会影响	一方有难，八方支援，体现社会公正与关爱；尽快恢复生产、重建家园，人心稳定，社会安定，凝聚力增强，社会风险意识提高	人员伤亡严重，灾民流离失所，失业增加，贫富差距加大，社会风气败坏，矛盾激化，治安紊乱，盗贼四起，社会不安定；风险意识降低
生态与环境影响	净化河湖水域污染水体，回补地下水，改善土壤肥力与墒情，维持湿地与生物多样性，维持河道行洪能力，保持河口海岸动态平衡	灾民失去家园，基础设施被损毁，污水横流，垃圾遍野，生存环境恶化；沙压良田，生产条件丧失，流域中植被破坏，水土流失加剧等

传统防洪减灾活动，通常强调的是将“水灾损失”降到最低。然而在现代社会，必须综合考虑政治、经济、社会和生态与环境等方面，水灾损失最小的治水方略不一定能够产生最为有利的“影响”。无数事实与教训表明：①局部地区若将洪水风险降到最低，则往往意味着风险向其他地区的转移；②如果政府在“确保安全”方面承诺过高，使民众产生不切实际的安全保障期望，反而可能有损政府的威信；③要完全消除水灾的风险，不仅会付出过大的代价，而且不利于从洪水资源化与洪泛区土地合理利用中获取保障发展所需的经济效益；④将居民从洪水高风险区中全部迁出，虽然有利于保障“防洪安全”，但是未必有利于维护“社会的安定”与“经济的发展”；⑤不断提高防洪工程的标准，力图使洪水不再泛滥成灾，不仅投入过大，而且可能对生态与环境产生长期不利的影响。诸如此类的例子还可以举出许多。因此，仅使水灾损失最小的治水方略是不全面的。今后更应看重的是利用洪水风险的可管理性，通过综合治水，争取在政治、经济、社会和生态与环境等各个方面获得积极有利的“影响”。

图 2.7 进一步说明了洪水风险管理战略研究所关注的范畴与影响因素。从洪水管理战略的角度来看，如何控制洪水与减少损失主要是战术层面解决的问题，战略层面需要更多关注的问题是如何争取最有利的条件。

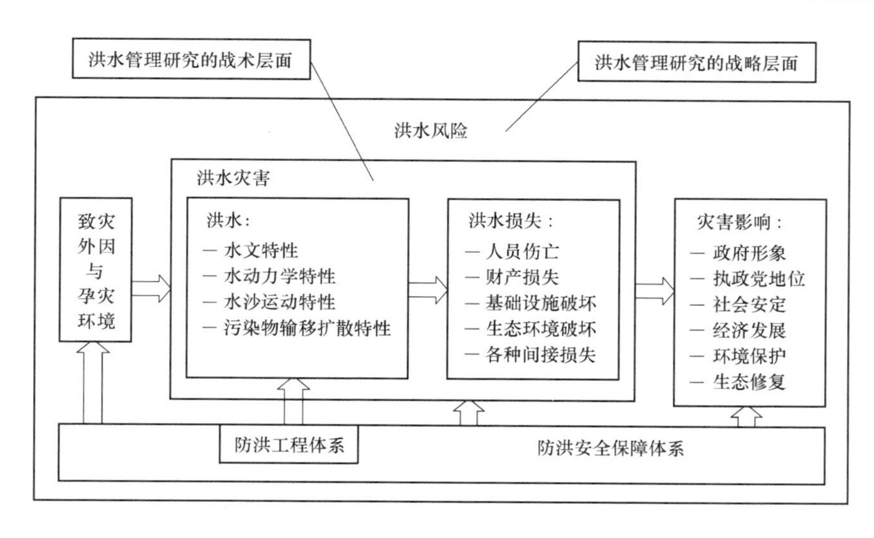

图 2.7 洪水风险管理战略研究关注的范畴与影响因素

2.3 洪水管理

2.3.1 基本概念与内涵

洪水管理是人类按可持续发展的原则，以协调人与洪水的关系为目的，理性规范洪水调控行为，增强自适应能力，适度承受一定风险以合理利用洪水资源，并有助于改善水环境等一系列活动的总称。

由于洪水管理是针对洪水风险进行全面的管理，而不仅局限于防御洪水和减少洪灾损失，因此洪水管理亦被称为“洪水风险管理(Flood Risk Management)”。

“洪水综合管理(Integrated Flood Management)”不仅意味着综合运用工程措施和非工程措施来实现洪水管理目标，而且意味着对流域范围的洪水管理措施进行综合评估，同时与其他资源管理目标(如水资源管理、土地利用管理与环境管理等)相结合，寻求满足社会各方面发展与安全保障需求的最佳解决方案。这意味着要从政治、经济、社会和生态与环境目标等宏观范围全面考虑洪水管理问题。中国正在推进向“洪水管理”的转变，其宗旨包容了国际社会推进的“洪水综合管理”的目标、理念与内涵。

洪水管理要遵循可持续发展的原则，具体体现为：①与洪水共存，即人类防洪体系的建设，是以将洪水风险控制在可承受的限度之内为目标，而不是消除洪水，应有利于维护并改善河流固有的各种基本功能，而不是导致河流的消亡；②保障发展，即治水方略要调整为有序地与洪水协调共处，必须以保障社会安定与经济平稳发展为前提，而不是导致生产力的破坏；③维护社会公正，即防洪减灾的政策要有利于缩小贫富差距，而不是使贫者更贫；④分担风险，即无论什么地区都有义务承担自己的固有风险，即使是确保安全的地区，也要对因提高自身工程保护标准而可能对其他地区造成的附加风险提供必要的补偿；⑤鼓励利害相关者参与，即让利害相关者有知情权、参与权，因为利益受损者才是纠正危害可持续发展行为的最有力的支持者，此项原则亦适用于跨行政区域以致国际河流治理中的合作与协调。

在洪水管理中，为了协调人与洪水的关系，就要对人与自然的关系有全面的理解。当今，人们已经意识到，“稀遇洪水形成的灾害可能会大大超出人类的控制能力”，“要完全消除洪水灾害是不可能的”。当人们强调“人与自然和谐”的时候，必须注意：①决不能忽视了“自然”本身也有既伤害人类社会又危及生态与环境的“肆虐”一面，健全的水利工程体系与更为完善的防洪安全保障体系，是实现人类“与洪水共处”的基础与前提；②在中国人多地少的国情下，不能简单地倡导“让人群远离洪水”或“还洪水以空间”，人与自然的和谐要体现在人与洪水对洪泛区土地合理、有效的共享上；③对于洪泛区土地，既不能“占为己有”，也不能“拱手相让”，则不仅防洪工程手段要从点与线扩展到面，而且需要综合运用法律、经济、行政、教育、技术等非工程措施来推动更加有利于全局与长远利益，能有效协调人与洪水关系的工程措施，在适当承受一定风险的前提下，促使人与自然的关系向良性互动转变；④有效规范人类活动，避免急功近利、人为增大洪水风险或以邻为壑的行为。

理性规范洪水调控行为，不是否定工程措施，也不是今后就可以忽视工程措施，而是强调更为科学合理地规划、设计、建设、管理与运用防洪工程体系，充分发挥防洪工程体系除害兴利的综合效益。为此，必须强调：①充分认识防洪工程体系建设的长期性与艰巨性，在防洪工程规划中，注重在长远目标的指导下，阶段目标的优化分解与实施顺序的优化安排；②努力避免、消除或缓解防洪工程建设可能产生的负面影响；③克服“急功近利，急于求成”的弊病，抛弃靠短时期大规模防洪工程建设“一蹴而就”、“一举根治洪水”的幻想，从管理体制与运作机制上消除“重建轻管”的根源；④加强防洪工程体系优化调度的研究，认真分析与协调好区域间基于洪水风险的利害关系与矛盾；⑤注重防洪工程体系自身的安全保障，增强查险抢险能力，努力避免水库溃坝、堤防意外溃决等恶性事故的发生等。

增强自适应能力，是在不可能单纯依靠工程手段消除洪水风险的情况下，防洪减灾要考虑如何增强人类社会应急反应能力与自身适应洪水的能力，形成泛滥允许型的发展模式，减轻灾害损失，且从总体上削弱其不利的影响。包括：①健全不同类型突发性水灾分级响应的应急管理体制；②完善高效可靠的洪水预报预警系统与群防群治、自保互救、避难迁安、卫生防疫、生命线系统保障与灾后重建等体系；③洪泛区土地利用方式的合理规划与调整；④洪水风险区中建筑物结构与材料、农田的耐淹化；⑤各种适宜的洪水风险分担与风险补偿的模式，及其相应的管理体制与运作机制等。

适度承受一定风险以合理利用洪水资源，是解决快速发展中水资源短缺与水环境恶化问题的必要条件之一，也是洪水管理的重要内容。需要强调指出的是：①洪水的合理利用，除了满足人类对水量、水能的需求之外，还有维持河道行洪能力、补充地下水源、改善水环境与维持生态系统平衡等多种功能，需要适度承受一定风险才可能从洪水中获得较大的利益；②对于不同量级的洪水，其资源特性、环境特性以及利害转换关系是不同的，对所需承担风险的差异要有充分的估计与全面的评价；③水利工程是加大调蓄洪水能力的基本措施，但也可能成为区域之间、人与自然之间争夺“洪水资源”的手段。要避免单纯以工程措施造成新的人为灾难；④洪水资源化的有效途径之一是作好滩区、行蓄洪区，以及农田的规划管理。比如对蓄滞洪区合理进行分区管理，如果一般中小洪水发生时也能引洪蓄水，部分修复与洪水相适应的生态与环境，则将有利于维持蓄滞洪区的分滞洪功能，减轻分洪损失与国家补偿负担，并形成蓄滞洪区自身适宜的发展模式。

2.3.2 洪水风险管理的特点

洪水管理实质上是对洪水的风险进行管理。洪水管理如果以最大限度地降低风险、减少损失为目标，则要么不断扩大防洪保护范围，提高防洪工程标准，使洪水不再泛滥成灾；要么将洪水高风险区中的人口资产都迁出去，还洪水以空间。这样即使该地区被洪水淹了，也没有损失。但是这些“无风险”的管理模式，显然不符合中国的基本国情。在人多地少，粮食、土地与水资源需求压力极大，经济底子薄弱且发展不平衡，生态与环境相对脆弱的国情下，中国只能选择有风险的洪水管理模式。

洪水的风险管理，是对流域或区域的洪水风险特性进行深入的分析研究，在把握洪水风险特性及其演变规律的基础上，因地制宜地采取综合性的防洪减灾措施，将洪水风险降低到可承受的限度之内，协调好区域之间、人与自然之间基于洪水的利害关系，以保障和支撑可持续的发展。

风险管理的基本特点是追求适度与有限的目标。洪水的风险是永恒的，治水事业具有长期性、复杂性与艰巨性。只有适度地承受一定限度的风险，以不同形式合理地分担风险，才可能寻求到人与自然相和谐的、区域及部门之间相合作的、水利与国民经济相协调的发展之路。

洪水风险管理的本质，就是综合利用法律、行政、经济、技术、教育与工程手段,合理调整客观存在于人与自然之间及人与人之间基于洪水风险的利害关系。

人与人之间及人与自然之间基于洪水风险的利害关系是客观存在的，并且随着社会经济的发展而日趋复杂，必须采取综合性手段，才能使之得以合理的调整。

2.3.3 洪水应急管理的特点

突发性水灾的应急管理是洪水管理的重要组成部分。国内外经验表明，当一个国家或区域的人均 GDP 突破 1 000 美元之后，经济社会将进入一个加速发展的阶段。这一阶段往往是“危机事件”的多发期，不仅各种人为的灾难性事故、事件会频繁发生，而且突发性自然灾害的危害性也显著增长。我国目前正处于这样一个发展时期，因此对于公共安全与应急管理，尤其需要给予高度的重视。

应急管理需要应对的往往是具有突发性、不确定性或者稀遇性的灾害事件。因此，在应急管理中，需要强调：①在没有时间平衡各方利害关系的情况下，快速作出决断，决策方案往往是“两害相权取其轻”；②针对事件发生的可能性，按严重程度对事件进行等级的划分，并分级制定出相应的应急响应预案；③面对影响重大而人们又大多缺乏应对经验的稀遇事件，即使情况并不完全明朗，也要快速作出判断与决策。

洪水应急管理的主要对象是突发性洪水灾害，如溃坝洪水、山洪及其伴生的滑坡与泥石流、风暴潮、城市暴雨洪涝、行蓄洪区分洪运用及流域型大洪水等。突发性洪水不仅本身危害严重，而且易于形成次生、衍生灾害。对于数十年甚至数百年不遇的洪水，人们往往缺乏防范的意识和应对的经验。世界各国，包括防洪标准已经相当高、经济技术实力发达的一些国家，都面临着如何进一步强化洪水应急管理体制、增强应急反应能力，满足全社会日益提高的防洪安全保障需求的难题。

科学编制应急响应预案，是实施应急管理的重要基础。对不同流域或区域，首先需要根据历史资料，结合现代化的模拟仿真手段，分析突发性洪水的类型、各自的分布范围与可能达到的严重程度；然后合理进行应急响应的等级划分，因地制宜制定各级应急响应的对策措施，并不断修改完善，提高预案的可操作性。

健全洪水应急管理体制，是实施应急管理的根本保障。启动应急预案是要付出代价的。应急预案启动的级别越高，则意味着牵涉的范围、部门越广，在短期内需要紧急调用的人力、物力、财力就越多。因此，需要健全应急管理体制，以立法的形式明确应急预案的启动程序，以及各相关单位在各级洪水应急响应中的责任义务与协同运作机制等。

加强应急反应能力建设，是实施应急管理的基本要求。在加快防汛指挥系统建设，增强洪水监测、预报、预警、调控与决策支持能力，建立具有快速反应功能的专业抢险救援队伍的同时，要强化群防群治的组织体系，普及防灾知识教育，进行必要的防灾训练，使公众掌握自保互救的本领。尤其值得强调的是对供水、供电、供气、交通、通信等生命线系统的防灾保护与灾后快速修复的能力建设，对幼儿园、学校、养老院、医院等发生灾害且弱者集中的地方进行快速救援的能力建设，以及对有毒有害物质进行快速转移或处理的能力建设等。

进行决策后评估，是加强应急管理的必要环节。由于应急管理的紧迫性和复杂性，在应急指挥中，要确保作出最佳决策，或者完全避免决策的失误，对任何人来说都是难以做到的。其实，应急响应中的失误，也同样是宝贵的财富，只要认真总结，汲取教训，就能为改进应急管理提供科学的依据。因此，决策后评估的主要目的不是为了追究决策失误的责任，而是为了总结经验教训，完善应急管理预案。事实上，世界上许多重要的安全规范，都是从总结重大灾难事件的教训中得出来的。

但是，如果在应急管理中玩忽职守，或为了推脱责任，刻意隐瞒实情，编制虚假信息，不仅贻误战机，而且误导或诱迫他人作出错误的判断和决策，加重事件的灾难性后果，则是恶劣的犯罪行为，必须追究其法律责任，给予严厉的惩处。

2.3.4　洪水管理规划的特点

根据国外典型的洪水风险含义，洪水管理内容可以分为洪水危险性、可能受灾对象及其易损性三个方面的管理。①洪水危险性的管理，主要是指研究某地区在特定时间内遭受洪水灾害类型，并分析洪水灾害各强度指标的概率分布函数，以及灾害的规模，管理对策主要为各类防洪工程措施；②可能受灾对象的管理，主要是通过土地利用规划、洪水风险区划、财产信息采集与修改等措施，控制人或资产暴露于洪水灾害危险性的数量和程度；③易损性的管理，主要是提高人们除防洪工程以外抵抗、适应与承受洪灾的能力。

要成功地对以上内容进行管理，需要科学合理的洪水管理规划，而规划和相应的管理内容都是建立在高效合理的法规体制和机构设置基础上的。

在进行科学合理的洪水管理规划时，国外常采用一种称为“结构化规划方法”的程序。采用结构化规划方法是确定适当的管理行为的行之有效的措施，包括洪水管理规划的编制和具体项目的策划。该方法在洪水管理规划和项目评价中应遵循的基本程序和主要内容如下。

图2.8给出了该方法的简单流程。

由图2.8可以看出，在这种方法中，规划分为初期、技术分析、评估和洪水管理规划四个主要阶段，每个阶段里又有各自的主要任务，下面对这些任务进行说明。

定义管理目标　规划最好以对需要管理的问题作出明晰的阐述开始。阐述应当简明、具体，仅使用笼统的目标陈述是不够的。例如“减小洪水风险”，就应明确面对洪水风险的人口和财产，应当解释为什么减小风险和管理风险是必要的，如：洪灾中什么样的死亡人数是不可接受的；区域或地区的开发计划要求对不断变化的洪水风险进行管理；洪水造成什么样的财产损失是不能接受的；保障社会

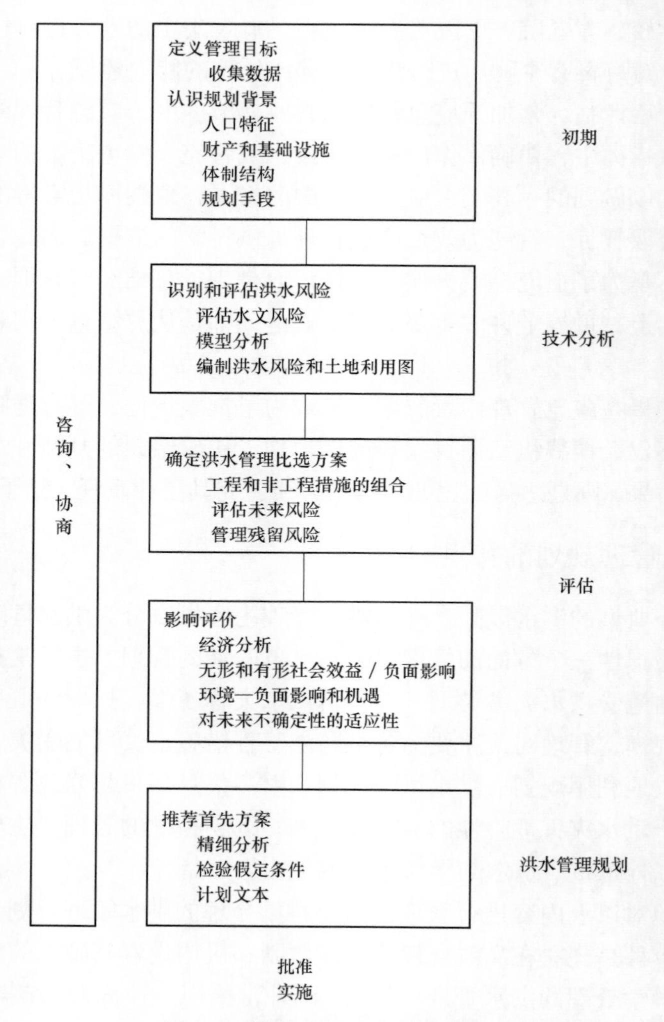

图 2.8　结构化规划方法示意图

经济活动不致中断，等等。清晰地定义管理目标，在结构化规划和评价过程中，始终围绕和坚持既定目标，对实现最好的管理效果是至关重要的。

认识规划背景　规划背景是指受影响区域内土地利用和活动的特征、人口和其分布的特征(城市/农村、儿童/老人、穷人/富人)、公共基础设施和资产的特征、通行和撤退路线的特征、关键的服务设施，如通信和供水、污水处理、气、电力设施的方位特征，以及反映受影响的社区的可能受灾对象分布及其易损性等方面的特征。此外，规划背景还包括政府行政部门的体制及与该区域和地区相关其他规划，如土地利用规划、环境管理规划、水土保持规划和大尺度的洪水管理规划(在中国称之为“防洪规划”)和江河流域的管理规划。相关数据、资料的收集与分析，对充分理解规划背景尤为重要。

识别和评估洪水风险 识别和评估洪水风险需要对洪水危险性特点和空间分布、面临洪水威胁的生命和财产及其易损性等特征开展分析。洪水危险性分析需进行水文和水力学模型研究，特别是要绘制洪水风险图。风险区内的财产和基础设施也应反映在图中，包括主要的通行和疏散路线以及防洪工程。易损性表现在人口类型，如明确行动不能自理的儿童和老弱残疾人口数量、洪水预警报的有效性、洪水预警提前量、社区的洪水风险意识、自保自救措施和应急准备情况、现行洪水应急方式的效率、地势较高地带的可达性，以及灾后恢复能力建设等方面。

确定洪水管理比选方案 在确定了现有洪水风险后，应当考虑减小或管理洪水风险的比选方案。可供采用的洪水风险管理的具体措施很多。可采取措施的一种分类如表 2.3 所示，不过，有些措施还具有综合减轻风险的效果。

表 2.3 洪水管理措施

调控洪水	管理可能受灾对象	降低易损性
防洪水库	土地利用区划	洪水预警报
蓄洪区	土地征用	应急反应计划
堤防	发展控制规划	社区风险意识
分洪道	建筑规范	社区备灾
河道整治	抬高地基	灾后恢复
		耐洪建筑物
		洪水保险

总而言之，各项措施的有机组合和优势互补通常更有效率、更能体现社会公平和更具有可持续性。措施的一种组合(工程和非工程的)即为洪水管理的一种方案。应当就多个管理方案进行关联性、影响和利益比较，分析比较其利弊。现存风险主要由前述步骤确定。在规划过程中，本阶段应考虑每种方案未来风险和残余风险。未来风险需要考虑与未来发展相关的额外风险和通过洪水管理方案可能降低的风险。因为在经济可行和社会、环境影响可以接受的前提下，完全消除风险是不可能的，所以规划还必须考虑如何管理残余风险。

影响评价 每个洪水管理方案的论证应当包括经济、社会、环境、影响、利益的评估。评价时应注意以下几方面的问题。首先是正面影响的评估。显然，仅以经济因素来判断方案的优劣是不充分的，但是，实现经济效益往往是必须的，故需要对方案进行效益–成本分析。尽可能设法量化所有的效益，但有的效益难以被量化的情况是不可避免的。出于这种考虑，有的时候，即使经济上不可行，也会有出于社会、政治或者环境的原因而采取行动的情形。有些方案的社会效益与经济效益是伴生的，很难量化，如，使当地的财产价值增加，或者产值增长和生活标准提高。其他一些社会效益是无形的，只能定性描述，如，减少了公共健康的风险、消除了焦虑和精神损伤，等等。对于负面影响，虽然不可能完全消除方案实施后对环境的负面影响，但在规划过程中还是应当考虑采取措施，最大限度地减小对环境的负面影响，比较不同方案产生的环境影响也是方案选择的重要内容之一。洪水管理规划和措施方案的环境影响评价也为在方案中考虑诸如恢复湿地和改善水质等措施提高环境质量提供了契机。在评估阶段任何关于良性环境影响的可能性都应该被高度重视。此外，比选方案的可操作性和灵活性也需要考虑和加以比较，如分析这些方案面对不确定性，特别是对那些与未来社会发展和水文条件变化相关的不确定性将如何响应，以及应对未来不同于既定情景的适应性和可塑性。最后，为了保证评价的一致性，应制定技术导则，以指导方案的比较和评价，并为方案审批机构评审和比较不同的洪水管理规划或建议提供支持。

推荐首选方案 从评价中遴选出洪水管理的首选方案，并加以完善、细化，编制洪水管理规划。方案的完善和细化主要包括详细分析组成首选方案的有关措施和检验在评价比选过程中采用的假定条件。应确定实施费用最小的工程措施，该费用不仅要考虑基本建设投入，还要考虑维护和洪水后的修复费用。社会和环境效益与成本的检查和审核应当比在比较评估阶段更为深入，以减少相关的不确定性。有时，还有必要对以往分析时采纳的假定条件，特别是那些关于环境或社会效益方面的假定条件进行分析检验。复核也应考虑首选方案面对未来不确定性的可操作性和灵活性。在对首选的洪水管理方案的进一步分析完成以后，洪水管理规划应当以便于审批机构审查的格式编制。

利益相关者的参与 在适当级别的政府机构领导和协调下，以政府有关部门为主体开展结构化的规划和评价的同时，为了公平起见，应当在规划过程中给予所有的利益相关者参与的机会。利益相关者是那些与未来的结果有利害关系的人，特别是那些生活和基本生活条件会直接因洪水管理规划实施而受到影响的法人、自然人和组织机构等。例如：

- 位于洪水风险区的居民；
- 在洪水风险区拥有财产者；
- 与洪水风险区有业务往来的工商企业，即使它们位于风险区之外；
- 受影响地区公共设施的所有者；
- 相关的流域水利委员会；
- 有管理职责的政府机构(通常包括那些负责土地利用规划和开发、水资源供应和污水处理的政府机构，也可以依据职责扩展到其他诸如公共健康、农业、环境、交通、水土保持、电力和电信、旅游业等政府机构)；
- 其他在受影响地区有特殊利益的个人或组织(如湖泊或湿地环境保持的倡议者、拥护者)。

在许多国家，公众参与是通过在规划和评估之初组建的“洪水管理委员会”来达成的。该委员会负责组织和监督整个过程，并且最终由其编制“洪水管理规划”报上级政府审批。在中国，洪水管理委员会主任应当根据规划的规模由地方政府、省级政府、流域水利委员会或中央政府负责人担任。该管理委员会中应当包括上述利益相关集团的代表。管理委员会应委托可代表该委员会的单位承担必要的技术研究工作。

2.3.5 洪水管理战略及其特性

洪水管理战略是指导或决定如何推动洪水管理的全局性计划和策略。洪水管理战略应具有长远性、全局性、层次性和普适性。

(1)长远性。从控制洪水向洪水管理的转变，是为了适应社会经济快速发展阶段防洪形势的变化，满足全社会日益提高的防洪安全保障需求，支撑可持续发展而实施的治水方略的战略性转移。这不是一项权宜之计，也不可能一蹴而就，而是一个渐进的过程。因此，必须把握好战略调整的机遇和方向，明确长远的战略目标与阶段性的重点战略任务，继往开来，梯次推进，持之以恒，才可能稳步推进这一战略转变而不至于半途而废。

(2)全局性。洪水管理的对象将从河流与洪水扩展到流域，涉及到人与自然之间、区域与区域之间基于洪水风险的利害关系，既要保障安全，又要有利于发展，赢得整体与长远的最大利益。这不是依靠任何单一部门的力量可以办好的事情，而需要统筹兼顾，综合平衡。因此，必须要多部门、全社会协调一致，共同努力，才可能实现预期的战略目标。

(3)层次性。洪水管理涉及国家、流域、各级地方政府与社会公众等不同层次，各自有不同的责任与义务。从完善法规与管理体制，到健全综合性洪水管理体系，既需要自上而下的推动与指导，又需要自下而上的实践、创新与提高。因此，必须建立起良性的运行模式与协调机制。

(4)普适性。洪水管理战略的选择既要考虑自然地理因素，也要考虑社会经济因素。不同区域可能遭受的洪水类型、量级差别很大，在不同气候与流域地形地貌条件下，汛期到来的早晚、洪水涨落的快慢、洪峰流量的大小及持续时间的长短等会有明显的差异。即使是同类区域，社会经济发展水平不一，如人口、资产的密度，土地利用的方式，城市化的进程，以及防洪减灾体系的建设状况等，使得水灾的损失、后果及影响也会有显著的不同。这些因素对于防洪安全保障体系的建设产生了不同的需求，并形成了不同的投入与管理的能力，从而深刻地影响着洪水管理战略的选择。像中国这样地大物博、处于快速发展阶段而经济发展又不平衡的国家，所选择的洪水管理战略应该具有一定的弹性和灵活性，能够包容区域性的差异并适应不断变化的条件。

2.4 本章小结

本章从洪水的灾害特性、资源特性、环境特性，以及洪水的利害两重性和相互转换特性方面，介绍了洪水的基本特性；介绍了国外典型的洪水风险概念，进而提出了基于战略层次的洪水风险的含义，并据此探讨了洪水风险的分类，分析了洪水风险可管理性。在此基础上，介绍了洪水管理的基本理念，包括：①洪水管理的定义与内涵；②洪水管理的主要内容，包括从管理对象角度的洪水危险性管理、可能受灾对象管理、易损性管理以及洪水管理规划及其常用的结构化规划方法，从时间角度的日常管理和应急管理；③洪水管理的特点与本质；④洪水管理战略的含义及其长远性、全局性、层次性、普适性等特性。

3 国际社会洪水管理实践

洪水管理是国际社会治水方略调整的共同趋向。中国在经济社会快速发展阶段出现的治水新问题，与世界上许多国家的遭遇有相似性。一些发达国家在他们经济快速发展的阶段，已经较早地倡导与实施了洪水管理，在现代水利的发展中发挥了积极的作用。许多发展中国家近年来也相继开始推行洪水管理。深入了解国际社会实施洪水管理的经验与教训，有利于中国合理地制定洪水管理战略。

3.1 洪水管理理念产生背景及其趋向

3.1.1 洪水管理理念产生背景

20 世纪，随着社会文明与科技的进步，人口增长、经济繁荣突破了种种的制约，使得世界人口从 16 亿增长到了 60 亿，世界城市人口占总人口的比值从 10%上升到了 50%，以往天然调蓄洪水的洪泛区土地被广泛开发利用。尽管人类兴建起规模空前的防洪工程体系，具备了控制常遇洪水的能力，但是水灾损失依然呈现上升的趋势。人口爆炸，快速城市化，洪泛区中人口、资产密度急速加大，被认为是全球水灾损失普遍增长的内在因素。

一方面，随着经济的发展与生活的改善，全社会的防洪安全保障需求不断提高；另一方面，当代社会中防洪减灾与水资源短缺、水环境恶化与水土流失加剧等问题交织在一起，又变得更为艰巨与复杂。单纯依靠防洪工程措施不断扩大保护范围、提高保护标准的做法，面临着日益苛刻的制约条件。严峻的防洪形势迫使世界各国转变传统的治水观念，相继走上治水方略调整的道路。

美国是世界上最早倡导洪水管理的国家。在 20 世纪中，美国人口从 7 600 万增至 2.8 亿，洪泛区处于被侵占的过程中。美国的防洪事务早先以陆军工程兵团兴建防洪工程为主，经过 40、50 年代的经济快速增长之后，面对水灾损失依然增长、联邦政府救灾负担日重的困境，60 年代以后，接受吉尔伯特·怀特等学者的主张，通过国家洪泛区管理计划逐步加强了对洪泛区土地利用与建筑物耐洪标准的管理，建立了现代化的洪水预报、预警与居民转移、救援系统，形成了工程措施与非工程措施并举的洪水管理模式。

日本的河流，具有源短流急、洪水暴涨暴落的特点，在仅占国土面积 10%的洪泛区中，居住了 50%的人口并集中了 70%以上的资产，洪泛区土地已处于高度开发利用的状态。为保障防洪安全，日本选择了建设高标准防洪工程体系辅以强化应急管理体制的模式。20 世纪 70 年代后期，为了适应经济快速发展与高度城市化后防洪形势的变化，在城市化显著的区域推进综合治水的模式——在治水对策上，从不断扩大保护范围、提高堤防标准转为确保流域的蓄滞水功能，发展雨水渗透、蓄存设施，既避免加重河道行洪负担，又减轻内涝的威胁；在治水理念上，强调完善的防洪工程体系是人与自然和谐的基础，百折不饶、重建家园是人与洪水共存的体现，在保障生命安全的前提下，构建多自然型的河川，从而逐步增强了国土与社会的防灾力，努力建立起人与自然相和谐的、治山治水事业与国民经济发展相协调的关系。

20 世纪 90 年代以来，欧洲国家在相继遭受超标准洪水的袭击之后，针对气候变化与人类活动影响下洪水特性的变化，意识到继续提高工程保护标准的局限性，纷纷选择了实施洪水综合管理(Integrated Flood Management)的方略。同时，亚洲、非洲、南美洲等的许多发展中国家，近年来面对经济发展、快速城市化中日趋严重的水问题，也相继走上了向洪水管理转变的道路。

目前，联合国、各相关国际组织、各国政府与非政府组织机构已经积极行动起来，在推动水旱灾害管理的研究与治水战略的转移、防灾意识的普及、减灾体系的完善、新技术在防灾减灾领域中的应用与推广，以及促进国际社会的交流与合作等方面发挥了积极的作用，促使世界各国从治水的理念、方略、管理体制、运作机制到技术手段及对策措施等，都在不断完善与深化。20 世纪 90 年代联合国发起的“国际减灾十年”活动及 21 世纪以来后续的“国际减灾战略”行动，充分说明在经济社会空前发展的时代，防灾减灾问题不仅引起了人类更为高度的重视，而且治水的模式需要做出战略性的调整。

3.1.2 国际社会推进洪水管理的主要特点与趋向

世界各国的国情不同，在推进洪水管理中所强调的理念与采取的措施也有各自的特点。但是在倡导以风险管理理论为指导，实施流域洪水综合管理、将防洪工程与非工程措施结合起来、完善突发性洪水的应急管理体制、因地制宜选择治水方略与促进减灾社会化等方面，仍然可以找出一些共同特点与趋向，主要如下。

3.1.2.1 以风险管理理论为指导，实施流域洪水综合管理

目前，国际上流行“人类社会必须学会与风险共存”的观点。在实施洪水管理的过程中，更加强调洪水的综合管理。洪水综合管理的核心，是对洪水风险进行管理。这种观点在欧洲大陆和美国最为盛行，在英国、澳大利亚和日本等国家也开始逐渐被认可。这些国家有的已经投入巨额资金建成了高标准的防洪工程体系，但是近年来发生的严重洪灾表明，超标准洪水的风险依然存在。例如，1998 年严重洪灾后，英国洪水管理的方式重新受到重视，英国环境、粮食和农业事务

部以及威尔士议会向人们提供了一个可持续的、广泛的洪水风险综合管理的框架(Falconer & Harpin，2002)。

洪水管理对策的制定，应以洪水风险分析为基础，包括风险辨识、风险估算与风险评价。风险辨识侧重于定性描述可能发生的事件类型及其造成的后果和影响；风险估算则需要定量地描述事件的成因、发生的概率、相应于不同强度时的影响范围与强度，影响区域内的人口、资产分布以及可能导致的后果等；风险评价是权衡风险的大小，回答怎样才算安全，为决策者制定减灾对策提出可靠的依据和清晰的思路。

由于局部地区将风险减少到最小的方案，可能意味着风险的转移，影响到其他地区和系统整体的长远利益。因此，风险管理特别强调要以流域为单元，统筹处理好上下游、左右岸、干支流、城乡间基于洪水风险的利害关系。采取规避风险、降低风险、分担风险、增强风险的承受能力、提高风险的预见能力、健全风险的应急能力与避免人为加重风险等多重策略，全面提高防洪安全保障水平。莱茵河的管理经验对此具有重要的参考价值。

当代社会中，为了从洪水资源化与洪泛区土地利用中获取支撑发展的更大效益，并有利于保障可持续的发展，在洪水管理中，又提出了适度承受风险的要求。

3.1.2.2 采取防洪工程与非工程措施相结合的综合治理手段

20 世纪中，人类借助工业革命以来蓬勃发展的水利科学知识与工程技术手段，大规模兴库筑堤，修闸建泵，整治河道，发展水文测报与洪水预报调度系统，形成了前所未有的防洪工程体系，空前地提高了控制洪水、除害兴利的能力，为20 世纪人类社会的繁荣与发展，发挥了重要的保障与支撑作用。人类甚至一度寄希望于利用工程手段完全控制住“既往最大的”洪水。

然而，人类调蓄洪水的能力总是有限度的，超标准洪水发生的可能性依然存在。随着工程规模的不断增大，工程自身的一些副作用也日益明显。由于洪水天然调蓄场所不断减少，雨水被更为集中地排向河道，使得洪峰流量增大、洪峰水位抬高，增大了堤防溃决、水库应急泄洪甚至溃坝的毁灭性风险。

同时，人们还认识到，适度标准、有利于全局的防洪工程措施，与局部地区以最小代价争取最大利益的愿望往往是相矛盾的，此类方案一般不会被局部地区所自愿接受，因此需要科技手段的大力支持、法律手段的强制实施、经济手段的补偿诱导、行政手段的推动落实。为此，需要将防洪工程措施与法律、行政、经济、技术、教育等非工程措施结合起来，以提高防洪安全保障水平。

3.1.2.3 完善应急管理体制

面对突发性的超标准洪水，为了有效地减轻人员伤亡与财产损失，社会需要紧急动员起来，投入抗灾救灾工作。动员的范围与灾害规模密切相关。应急管理与通常的风险管理有所不同，应急管理所应对的突发事件，往往是稀遇的、少有先例且难以预测；应急管理要求决策者在很短的时间内作出决断，紧急动员与有效调用大量人力、物力，而不能像风险管理那样反复权衡与协调各种利害关系。但是，应急管理中依然存在水灾的风险问题。不当的应急管理，也会增加水灾的损失。

因此，各国在完善应急管理体制时，都从立法入手，明确各相关部门在应急行动中的责任与义务，制定不同等级的应急预案与启动标准，设立应急管理的特别基金与启用程序，采取紧急情况下强有力的通信与交通保障措施，落实应急组织管理体系，储备必要的应急物资，开展必要的应急训练等，以保证应急方案的有效实施。

例如，捷克吸取 1997 年大洪水的教训，加强了灾害应急管理体系的建设，2000 年通过了《应急管理法》与《综合救灾法》。2002 年大水发生后，捷克总理及时主持部长级应急管理会议，宣布进入紧急状态，并设立政府的救灾指挥部，按照应急预案及时将洪水信息通知政府、自治体各有关单位，向高风险区居民发出警报，出动 2.5 万消防官兵承担防汛抢险任务，组织约 22 万群众撤离危险区域，提供医疗卫生与饮用水供应保障，调用军队设立封锁线，控制通往危险与受限制地区的路口，确保人的生命安全。为了保证应急通信的畅通，捷克为负责应急管理与防灾事务的 1.8 万名政府职员配备了紧急情况下有优先权的专用手机，在战胜水灾中发挥了很大作用。

3.1.2.4　因地制宜选择战略方案

虽然世界各国以洪水管理为方向，相继走上了治水方略调整的道路，但是各国国情不同，具体采取的洪水管理模式存在显著的差异。即使在同一个国家，不同流域的自然地理与经济状况不同，也需要选择不同的战略方案。尤其是发展中国家，受自然条件与经济发展水平的制约，更加强调因地制宜的原则。

例如，越南在 20 世纪 90 年代改革开放之后，经济进入了快速发展期。由于国土狭长，各地洪水的成因与自然特性不同，防洪减灾战略也因地而异。

对红河三角洲，实行“积极防洪”的战略：在上游植树与保护森林，兴建调洪水库；在防洪区强化堤防系统，对河道进行清障，合理分蓄洪水与加强防汛抢险。红河的堤防系统总长达 3 000 km，每年坚持维护与加固。

在中部，实行“积极预防、减轻与适应洪水”的战略。该区山地陡峭，平原低洼、狭窄，洪水泛滥频繁，一年多次发生。减灾措施包括：建设海堤，利用灌溉工程防御早期的洪水，以稳定冬—春、夏—秋两季作物的产量；区内基础设施的建设要适应于受淹的环境等。

对湄公河三角洲，实行“与洪水共存并调控洪水”的战略：政府提供贷款，帮助民众加固房屋基础，修建高脚屋；在居民区外围修筑圩堤，尽量减少洪灾的损失；同时，随着生产、生活结构发生的巨大变化，社会经济的稳定发展对防洪安全保障提出了更高的要求，需要加强防洪工程措施以便更有效地调控洪水。

3.1.2.5 减灾社会化

防洪减灾属于社会公益型活动，各级政府应承担组织管理的责任。但是政府在防灾减灾中只能承担有限的责任而不是无限的责任。社会公众、媒体与非政府组织等，在防灾减灾中也发挥着不可替代的作用。

减灾社会化的形式很多。例如，一些国家的政府通过不同类型洪水风险图的形式，将不同规模洪水的淹没范围与可能的水深等信息公之于众，是增强全社会风险意识的有效手段。通过多种形式的防灾教育和训练，使民众熟悉应急警报和预案，掌握应对突发性洪水时自保互救的措施，并与社区和民间组织相结合，及时救助受灾害的弱者，可有效减轻人员的伤亡。建立公众参与(或称利益相关者)的机制，在政府重大减灾决策实施之前，充分听取利益相关者的意见和建议，避免决策的重大失误，以利于建立公正和谐的社会。通过社区和民间组织正确地关爱和帮助受灾的群体，使他们尽早从灾难的阴影中解脱出来，恢复正常、健康的生活。总之，减灾社会化，不是推卸政府的职责，也不是让群众陷入灾难的恐慌，而是有利于动员全社会的力量，大灾面前能够同心同德，共同战胜灾难。

3.2 国际社会推进洪水管理的主要经验与教训

从前面关于若干国家洪水管理实践的叙述中可以看出，在经济快速发展时期，各国也不同程度地遭遇过各种水问题，或早或晚地都走上了治水方略调整的道路，走向了洪水管理。世界各国的国情不同，在推进洪水管理中所强调的理念与采取的措施也有各自的特点。在此过程中，他们既有经验，也有教训。仔细分析这些国家的洪水管理实践情况，有助于制定中国的洪水管理战略。归结起来，主要有以下一些经验教训值得借鉴。

3.2.1 主要经验

3.2.1.1 实行与风险共存的理念

如前所述，国际上目前流行“人类社会必须学会与风险共存”的观点；当代社会中，为了从洪水资源化与洪泛区土地利用中获取支撑发展的更大效益，并有利于保障可持续的发展，在洪水管理中，又提出了适度承受风险的要求。为此，国外采取了很多行之有效的措施。例如，有的国家采取了“给河流以空间”的对策，即洪水期间给予河流足够的蓄洪空间以便于宣泄洪量。这一对策在欧洲的不同地方有不同的称呼，如“与洪水共存”、“给河流以空间”、“给水以出路”，等等，其核心是河流水系应保留足够的临时蓄洪空间，减小可能受灾对象在洪水危险性中的暴露程度，从而减小洪水风险。为了保护湿地，美国、澳大利亚等国采取了

“零净损失”对策，这实际上是“给河流以空间”对策的延续，对批准开发湿地所造成的不可避免损失形成了一种补偿机制。由于湿地经常处于洪泛区内，这种机制有时可以在洪水管理规划中被用来保持洪泛区蓄洪量。此外，很多发达国家在城市采用了“雨洪蓄水”措施，城市承担了一定风险，但使暴雨径流暂时储存于流域内并在较长时间内缓慢排放，减小了其他地方的风险。采取“给河流以空间”对策的国家，通常人少地多，人水争地矛盾不突出。人多地少的国家要采用这类对策减小洪水灾害时，需要慎重考虑，如果人水争地矛盾很突出，人们占用了更多的洪水空间，由于以上具体措施的实行非常有限或者基本不可能，将承担更大的洪水风险。因此，采用风险管理理论，与洪水风险共存，开展洪水管理的思想非常值得借鉴。

3.2.1.2 强调运用非工程措施管理未来风险和残余风险

“与风险共存”实际上是指人们对工程措施的一种有限的依赖，即只有当有关投入、对建筑或自然环境的破坏、对人类社会和直接处于风险区域的社区而言都是可接受时，工程措施能用于减小洪水风险，但不能消除洪水风险。在实施工程措施后，洪水管理必须应对残留风险。另外，河流及流域的自然条件及发展将随洪水管理计划的实施而发生变化，当条件发生变化时洪水风险也相应增加，而且这种增加将是连续性的，可持续洪水管理还要求必须考虑未来风险。

残留风险和未来风险管理的主要方法有土地利用规划、建筑规范、洪水预警报、洪水应急响应、保险——补偿等。因此，水资源管理、土地管理和建设管理等部门必须协同制定水资源管理规划方案、土地利用规划方案和建筑规范中的洪水管理要求。这些内容在发达国家已经施行，土地利用管理和建筑规范已纳入洪水综合管理框架，成为其中的重要内容。

洪水预报和警报系统被广泛认为是洪水管理残留风险的具有较高成本–效益比的方法之一。即使在预警报时间非常有限的地方，它也是仅限的几个可行方法之一。当社区有了充足的准备和较强的洪水风险意识后，即使预警时间有限，也能挽救生命和减少损失。国外很多地方在经历了严重的洪水灾害后，洪水预报能力和洪水警报系统在洪水管理战略评估中正得到全新的关注。洪水预报取决于现代技术——数据采集仪器、数据传输技术、水文和水力学模型、GIS 软件、计算机处理设备等。这些领域的技术在不断发展更新，如何采用最先进的技术则是持续的挑战。

在大多数发达国家，洪水保险被看做是应对残留风险的重要补充措施，它可以减轻政府灾后重建的负担。所有国家都需要帮助洪灾受害者恢复经济和正常的生产生活秩序，其重要措施之一就是政府补偿和企业或政府运作的保险计划。有的国家采用了自愿保险原则(如美国)，也有采用强制性保险的(如法国、西班牙和新西兰)。洪水保险和补偿机制作为一种应对残余风险的补充措施，保险在灾后恢复中所占比重越大，就越能减轻国家的财政负担。不过，将保险作为洪水管理中一项可持续及有效的措施是有前提的，即具有强大、成熟、可持续的银行和金融机构。没有这一前提，洪水保险开展很难成功。

3.2.1.3 通过合作与协调机制以及结构化规划方法，加强机构能力建设

在大洪灾发生后，很多国家的洪水管理机构设置大大改进，制定了一系列非常性的措施，加速了实施洪水管理的进程。因所采取的管理体制不同，进行洪水管理的成效差别很大。即使在同一个国家，在不同时期，管理体制的成效也有很大差异。如美国，20 世纪 60 年代以前，美国进行洪水管理的协调能力很差，洪水管理的实施情况不尽如人意。然而，在 20 世纪 50 年代的大洪水后，联邦政府发挥了强大的领导作用，将美国的洪水管理转变为当时世界上协调最有效、最有组织的活动。在欧洲，洪涝灾害后，近期战略调整的重要方面就是加强机构合作。在欧洲大陆，大流域跨越几个国家，重点放在发展各国之间的良好合作关系，莱茵河污染防治国际委员会(ICPR)具有洪水管理的职责，进行该河国际间洪水管理的协调，并采取综合管理行动，实现各国防洪效益最大化；合作关系可以直接在邻国双方对等机构之间展开，也可以通过莱茵河污染防治国际委员会等专门机构来开展多边层次合作关系。又如澳大利亚，在 20 世纪 70 年代的大洪水发生后，1980 年接受了洪水管理中的机构合作理念，通过采用洪水管理规划及评价的结构化方法，成功地实现机构合作。规划及评价过程受洪泛区管理委员会的监督，委员会由当地政府或区域行政管理主持，成员包括来自各州不同政府部门的代表，代表中必须有来自负责水务、应急响应、土地管理等部门或机构的代表。资金安排也体现出合作关系。根据规定，洪水管理方案的资金必须由三级政府根据协定的准则来提供。通过合作与协调机制，以及结构化规划方法，提高了组织机构的洪水管理能力，收到了较好的洪水管理效果。

3.2.1.4 实行规范的灾后评价，提高洪水管理水平

洪水管理战略通常伴随着大洪水的发生而呈波浪式的推进，大灾之后有大治。为了总结经验，逐步提高洪水管理水平，国外很多国家实行了灾后评价。在有规范化的洪水管理政策和实践指南的国家，“指南”规定了大洪灾发生后必须进行灾后评价以及灾后评价中应完成的规定工作，并且所开展的调研都要有详细的文档记录。洪水期间和之后的数据收集是灾后评价及调研的关键环节。在大多数发达国家，洪灾后，往往选取河流和洪泛区系统中更多的地点调查洪水水位，记录建筑物及洪水漂浮物标志的最高水位。为了评估损失，必须要收集现场有关造成影响的信息——建筑物、农作物和牲畜、公共基础设施和市政设施、其他资产、商业及生产率的损失。这些工作需要耗费大量的时间，管理机构需要准备好调集资源保障在灾后收集这种类型的数据。可见，国外很多国家的管理，正是通过灾后评价，进行文档记录，收集基础数据，吸取经验教训，逐步提高了洪水管理水平。

3.2.2 主要教训

3.2.2.1 忽视自然规律——水利有可能转变为水害

治水，是人类改造自然、利用自然、除害兴利的一种活动。为了增强对水的时空分布的调控能力，减轻水旱灾害的损失，人类不断设计、建造出规模日益庞大的水利工程体系。20 世纪中，人类一度以为凭借自身不断增强的技术、经济实力，可以征服自然，让“山山水水听安排”，从此消除水旱灾害的困扰。但是，任何违背自然规律的利用自然与改造自然的活动，无不遭受到自然界的无情报复，而且这种报复，比人们想像中到来的要快得多，恶果也要严重得多。

20 世纪中，人类正是从大自然的教训中领悟到对于不同特性的河流，要采用不同的治河方式。单纯依靠工程手段的治水活动，难以避免人与自然之间陷入恶性互动的关系。当人与自然的交互式作用超过一定限度时，就可能转为以牺牲生态与环境为代价；或者仅满足局部地区的短期利益，而损害其他地区以至整体的长远利益。人们虽然对过去“人定胜天”的做法有了新的认识，但在某些地方的治水实践中依然没有完全摆脱根治江河的追求，总是试图依靠短期高投入，修高标准的工程，以求达到一举消除水患的目的。

3.2.2.2 忽视社会经济发展规律——可能事倍功半，甚至事与愿违

国内外无数治水的经验与教训从正反两方面告诫人们，人类的治水活动不仅要符合自然规律，而且要适应经济社会的发展规律。任何一个流域或区域，在经济社会发展的不同阶段，治水的目标、要求、投入能力与管理水平也处于动态的变化之中。表 3.1 归纳了发达国家在近代发展的不同阶段河流理念与治河技术的演变特征。

表 3.1 当代河流管理与治河技术特征的演变

认识与理解	河流开发利用阶段		
	开发利用初期、工业化时期	污染控制与水质恢复期	综合管理、可持续利用期
河流的概念、内涵	水文系统、物理系统	水文系统、物理系统	水文、生态与环境、经济、社会文化综合功能系统
河流空间的外延	河道＋水域	河道＋水域＋河滨空间	水域＋河滨＋生物＋近河城市社区
侧重的河流功能	防洪、供排水、渔业、运输业、水电开发(A)	A ＋ 水质调节(B)	B＋生物多样性、景观多样性、历史文化载体
河流管理的观念	工程观、经济观：控制河流	工程观、经济观、消极治污观：重视“人工调控”	生态、经济、环境、社会、文化综合可持续发展观：“人河共存共荣”
治河技术体系的特征	使河流系统人工化、渠系化、工程结构复杂化，提高供水保障率与水能利用率	全面增强调控能力，侧重以人工措施治理工业及生活污染	生态修复、环境治理、河流近自然化、人文化、功能多样化

发达国家最新的治水理念，是针对发达经济社会形态下各自的治水新问题而提出的。中国目前尚处于工业化时期或污染控制与水质恢复期，经济起点低，发展不平衡，人口与粮食需求压力极大，城市化进程异常迅猛，这些都使得中国水利发展所面临的治水新问题比发达国家曾遭遇的水问题更为复杂、更为艰巨。因此，中国在推进向洪水管理的转变中，既要与时俱进，从发达国家的治水经历中吸取有益的经验，少走他人已经走过的弯路；也要力求避免盲目引入超越中国经济社会发展阶段的治水理念与不相适宜的技术措施，要坚持从基本国情出发，因地制宜，循序渐进，探索既支撑发展又保障安全兼顾长远的治水之路。在治水思路的调整中，如果违背经济社会发展规律，结果也可能事倍功半，甚至事与愿违。

3.2.2.3 缺乏法律保障或稳定的投入保障——计划难免夭折

防洪减灾及更高层次的洪水管理，需要各级政府、相关部门及社会公众采取协调一致的行动，才有力量与这种自然和人为的灾害相抗衡；大规模的治水规划与行动，更是需要长期不懈的努力才能见到实施的效果。法律与资金投入的保障，是达成此项目标的基本条件。否则，连计划本身都难保其合理性，即使计划制定合理了，也难以达到预期的目标。

日本明治、大正、昭和初期曾经多次制定过治水计划，或者由于规模过大、财力不支而难以为继，或者由于政治经济方面的变故而半途夭折。而从 1959 年后伊势湾台风引发的水灾造成 5 000 多人死亡的事件发生之后，随着《治山治水紧急措施法》、《治水特别会计法》、《灾害对策基本法》及《新河川法》等一系列法律制度的建立，日本的治水事业走上了长期、有计划、逐步推进的轨道。从 1960 年至今，已经连续实施了 9 个治水计划。期间，日本政坛几度风云变换，经济发展在 20 世纪 70 年代受到全球能源危机的影响亦出现过跌落。但是，由于各种法规制度的保障，治水计划并未受到显著的冲击。当代日本治水计划的起点，虽然也是大灾之后才有大治的行为，但是由于法律的保障，治水投入随经济发展按比例同步增长，为治水规划的科学制定与实施打下了良好的基础。

再如，美国在 20 世纪 60 年代末开始实施全国洪泛区管理计划以来，依法开始绘制洪水风险图，虽然遇到许多诘难，但有了法律的保护，从而不断调整政策和改进组织管理办法，得以长期坚持下来。但是，也有一些国家或地区的相关部门，效仿美国的经验绘制洪水风险图，却未摆脱风险图被迫收回的命运。

因此，中国在推进洪水管理的战略中，必须更加重视法规制度的建设，为各项战略重点任务的长期实施，建立稳定可靠的投资来源。

3.2.2.4 部门各自为政、目标单一——治水活动难以协调

在世界各国的治水活动中，部门各自为政，治水目标单一，行动互不协调的现象十分普遍，不仅造成人力、物力的大量浪费，很难保证各部门规划的科学合理性，而且还容易造成新的人为灾害。

为了解决这一问题，世界上一些国家从改革现行管理体制入手，合并一些与治水和基础设施建设相关的机构，立法以明确相关部门的责任与协作关系，强调治水目标与手段的综合化，收到好的效果。例如荷兰，1953年洪水以后，对管理机构进行了整合，形成交通运输、公共事业和水利部，合并后的机构在水利工程的建造和维护方面获得了更多的投资。1989年颁布水资源管理条例后，水管理有了更大的进步，水管理部门之间的协作进一步加强。

而加拿大的情况则不同。在联邦政府中，洪水管理是国家环保局的职责，而应急反应则由国家紧急事务局负责。在1975年启动的防洪减灾计划(FDRP)中，由国家环保局担任领导角色。防洪减灾计划在许多洪泛区的管理活动中得到应用，并且已经为800多个社区绘制了洪水风险图，还资助市级政府兴建了许多防洪工程。但是到20世纪90年代，国家环保局将计划缩回到其核心的环保职责，使得防洪减灾计划的资金大幅度削减，与各个省之间绘制洪水风险图的合作关系终止(Shrubsole et al. , 2003)。加拿大一度被认为是一个实施洪水管理做得较好的典范，而现在其洪水管理的前景却是一片迷茫。

国外的洪水管理经验和教训，给中国洪水管理工作提供了丰富生动的素材。中国应根据自己的国情，科学地分析洪水管理的需求、具备的条件、约束因素，充分借鉴国外的成功经验，吸取教训，有鉴别、有选择地采用符合中国需求的内容，提高中国的洪水管理水平，实现由控制洪水向洪水管理的战略性转变。

3.3 本章小结

在经济快速发展时期，国际社会中很多国家不同程度地遭遇过各种水问题，或早或晚地都走上了治水方略调整的道路，走向了洪水管理。本章介绍了洪水管理理念产生的背景、国际社会若干国家的洪水管理实践情况，从推进以风险管理理论为指导，实施流域洪水综合管理、采取防洪工程与非工程措施相结合的综合治理手段、完善应急管理体制、因地制宜选择战略方案以及减灾社会化等方面，总结洪水管理的国际趋向与主要特征。其后，进一步分析和总结了国际社会洪水管理实践中的成功经验和值得深思的教训。

主要经验包括：

(1)实行与风险共存的理念。

(2)强调运用非工程措施管理未来风险和残余风险。

(3)通过合作与协调机制以及结构化规划方法，加强机构能力建设。

(4)实行规范的灾后评价，提高洪水管理水平。

主要教训包括：

(1)忽视自然规律——水利有可能转变为水害。

(2)忽视社会经济发展规律——可能事倍功半，甚至事与愿违。

(3)缺乏法律保障或稳定的投入保障——计划难免夭折。

(4)部门各自为政、目标单一——治水活动难以协调。

中国应根据自己的国情，科学地分析中国洪水管理的需求、已具备的条件、尚存在的约束因素，充分借鉴国外的成功经验，吸取教训，有鉴别、有选择地采用符合中国需求的内容，实现由控制洪水向洪水管理的战略性转变。

4 中国推进洪水管理战略的基础分析

中国从控制洪水向洪水管理的转变，是针对经济社会快速发展时期面对的治水新问题，为满足全面建设小康社会的治水新需求，而对治水方略作出的重大战略性转变。为此，必须从现实出发，认真做好问题分析、需求分析和约束条件的分析，为洪水管理战略框架与行动计划的研究奠定基础。

4.1 中国治水历史简要回顾

中华民族的发展，自古就与大规模有组织的治水活动密切相联。从共工氏“壅防百川”与鲧“障洪水”，到禹“疏九河”，促成氏族社会向奴隶社会的过渡；从“欲治国者必先除五害”，“五害之属水为大”的先秦古训，到汉代贾让影响深远的“治河三策”；从始于战国的“宽河固堤”，到兴于明代的“束水攻沙”；从清代屡禁不止的“围湖造田”，到民初权衡利害的“蓄洪垦殖”；从新中国成立之初，“人定胜天”、“根治水患”的豪迈实践，到1998年大水之后“治水新思路”与向“洪水管理”的战略转变，在漫长的治水历程中，治水方略总是伴随着社会变革、经济发展、科技进步及人与自然关系的调整而不断扬弃与升华。中国历史上主导性治水策略的演变过程可大致概括如图4.1所示。

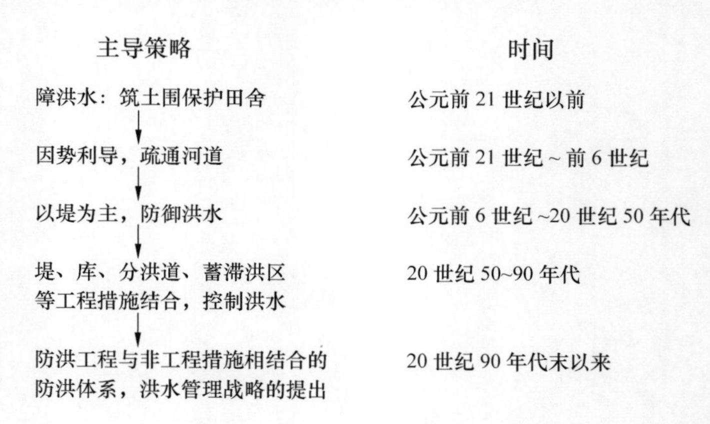

图4.1 中国治水策略演变过程

从中国治水历史简要回顾可以看出，防洪工作实现“由控制洪水向洪水管理转变”方略，正是根据当代中国社会现状、经济发展、科技进步、人水关系情况而提出的战略性调整。同时还可以看出，在我国悠久的治水过程中，包含了丰富而深刻的治水思想和治水经验，值得当今的洪水管理工作借鉴。

4.2 中国防洪管理现状与评述

为了解中国防洪管理现状，弄清中国洪水管理实践中存在的主要问题，针对中国不同经济发展水平(东部、中部、西部)、不同洪水类型(山洪、平原洪水、湖泊洪水、蓄滞洪区洪水、风暴潮等)差异显著的特点，2005 年年初，“中国洪水管理战略研究”项目选择了陕西、河北、安徽、湖南、浙江和广东 6 个典型省份进行调研。调研内容包括各省基本情况(自然地理、水文、河流、社会、经济、文化、人口)、河流管理基本情况(政策法规、规划、流域关系)、洪水管理现状(工程布局、非工程措施)、洪水灾害回顾(洪水特征、影响、损失、预警预报、应急反应、灾后恢复)以及存在的主要问题等。

4.2.1 防洪管理法规

中国现代水管理法规体系的建设始于 1988 年颁布的《水法》。1998 年实施的《防洪法》完善了《水法》中有关防洪的条款，成为中国防洪管理的根本法。

除《防洪法》外，与洪水管理关联的国家法律还有《水土保持法》、《土地管理法》、《城市规划法》等。中国现行防洪管理法律体系框架如图 4.2、表 4.1 所示。

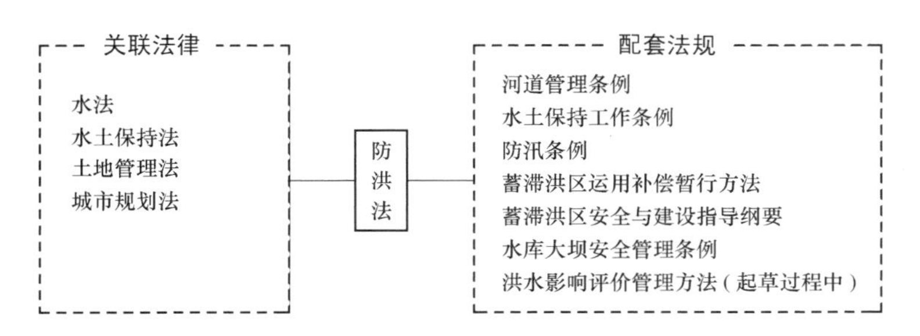

图 4.2 中国现代防洪管理法规体系

根据调研的情况亦知，各省都有匹配的地方性法规制度及文件，进一步规范和落实当地的防汛抗旱工作。

以上情况表明，在洪水管理法规方面，中国已经具备了一套自成体系的基本法律法规，用以规范和指导洪水管理工作。但与洪水管理法规体制要求比较而言，主要问题是现有法律法规对洪水管理中土地利用管理、建筑物规范、水资源与环境管理方面的规范与要求规定得不够，或者基本上没有规定。

表 4.1　与防洪有关的法律法规一览表

法律法规名称	颁布年月	主　要　内　容
水法	1988.1 颁布，2002.1 修订	水资源规划，水资源开发利用，水资源、水域和水工程的保护，水资源配置和节约使用，水事纠纷处理与执法监督检查
河道管理条例	1988.6	河道整治与建设、河道保护、河道清障、经费
蓄滞洪区安全与建设指导纲要	1988.10	基本工作、通信与预报警报、人口控制、就地避洪与安全撤离、试行防洪基金或洪水保险制度、规划与管理、宣传与通告
防汛条例	1991.7 颁布，2005.7 修订	防汛组织、防汛准备、防汛与抢险、善后工作、防汛经费
防洪法	1998.1	防洪规划、治理与防护、防洪区和防洪工程设施的管理、防汛抗洪、保障措施、法律责任
蓄滞洪区运用补偿暂行办法	2000.5	补偿对象、范围和标准，补偿程序，罚则

4.2.2　防洪管理体制

按照《防洪法》的规定，各级政府负责领导本区域防洪工作，水行政主管部门负责防洪的组织、协调、监督、指导等日常工作，其他有关部门按照各自的职责，负责有关的防洪工作。

防汛抗洪工作实行各级人民政府行政首长负责制，统一指挥、分级分部门负责。国务院设立国家防汛指挥机构，负责领导、组织全国的防汛抗洪工作，其办事机构设在国务院水行政主管部门。

可见，中国现行防洪管理体制主要由两部分构成，即防洪工程体系建设、运行与维护管理和防汛应急管理，其构架如图 4.3 ~ 图 4.5 所示。实际工作中，前者也涉及到汛期合理的调度运用，后者担负着大量与防汛相关的日常管理事务。

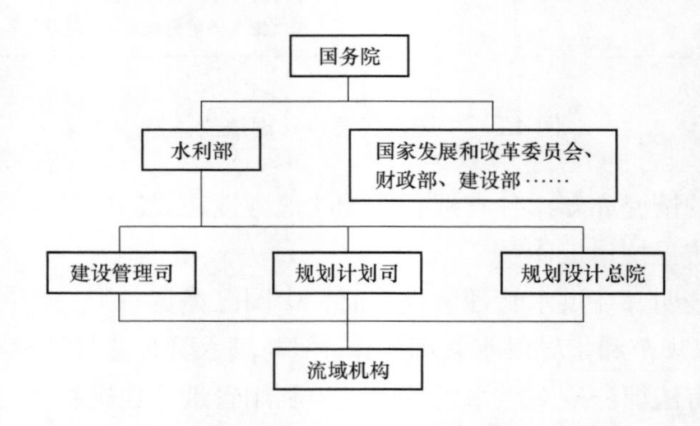

图 4.3　国家级防洪工程体系管理机构示意图

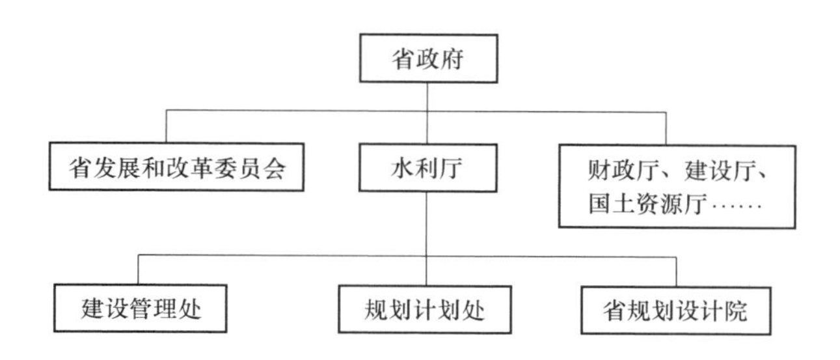

图 4.4 省级防洪工程体系日常管理机构示意图

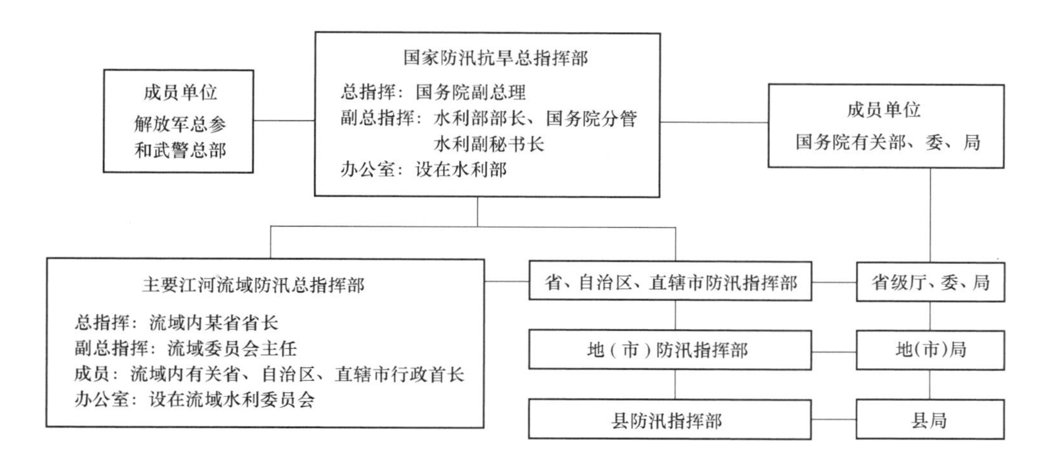

图 4.5 防汛应急管理体系

以上情况表明，在洪水管理体制方面，尤其是洪水应急管理体系方面，中国实行的是“行政首长负责制”，从中央到各级地方政府，都形成了一整套相对完整的机构体系，确保洪灾事件中的应急管理。实践证明，这一体制的运行非常有效，与国外相比，有着非常显著的特点和优势。与洪水管理的要求以及国外洪水管理实践的机构设置比较而言，主要差别是中国现行防洪管理体制主要体现了水利部门的职责；其他部门，如国土部门、建设部门、金融部门、民政部门等，在国外洪水管理中常有参与，但在中国现行防洪管理体制中体现不够。从一定程度上说，中国防洪管理体制的现行设置，与洪水综合管理体制设置的全面要求尚有一定距离。

4.2.3 防洪规划与防御洪水方案

防洪规划是江河流域规划的重要组成部分，是指导防洪建设的纲要。防御洪水方案是政府开展防汛抗洪抢险救灾工作的基本依据。20 世纪 50 年代初期，中国主要江河开始了各大江河规划的准备工作，陆续编制出了流域综合性规划(见表

4.2)，这些流域综合规划中，均以防洪作为规划的重点。

表 4.2　20 世纪 50 年代流域综合规划一览表

年份	规划名称
1954	黄河综合利用规划技术经济报告
1956	淮河流域规划报告、汉江流域规划要点报告
1957	沂沭泗河流域规划报告、海河流域规划报告
1958	长江流域综合利用规划要点报告、滦河流域规划报告、辽河流域规划要点报告
1959	松花江流域规划报告、珠江流域开发与治理方案研究报告

自 20 世纪 50 年代至今，中国各大流域已三次修编了防洪规划(包括纳入流域综合治理中的)。这些规划多是防御 20 世纪最大洪水为目标的防洪工程规划。“十五”期间重新编制了各大流域片的防洪规划，并首次编制了全国的防洪规划。规划中采用了洪水风险分析、经济分析等方法，增添了洪水风险管理相关的内容。按照 1988 年《水法》和 1991 年《防汛条例》规定及其后的《防洪法》的规定，目前各级地方政府多已制定了区域和城市的防御洪水方案(包括对特大洪水的处置措施)。

根据调研，各省份都根据法律法规要求制定了相应的防洪规划和防洪预案，但由于规划方法和程序不够完善，较为普遍的问题是预案的详细程度和可操作性尚不够。对洪水综合管理的要求而言，与机构设置相类似，主要差别是规定了防汛部门和水利部门的工作。其他在国外洪水管理中参与很多的部门，如国土部门、建设部门等的工作，在现行体制下无法规定、没有规定，或者很少规定。

4.2.4　防洪工程体系及其管理

到 20 世纪末，经过多年的艰苦努力，中国已基本形成了可防御主要江河流域中下游常遇洪水甚至大洪水的防洪工程体系，为大江大河的治理奠定了基本的格局。工程体系主要由水库、堤防、河道治理工程和蓄滞洪区组成。据统计，目前，全国已经建成的堤防总长达 27.7 万 km，保护着约 4 390 万 hm^2 的农田和 5.31 亿人口；修建了 85 000 余座水库蓄存和调节上游洪水。在长江、黄河、淮河和海河等大流域中，设置了 97 个重要的蓄滞洪区应对更大规模的洪水。此外，还修建了大量河道治理工程，建立了 3 124 个水文站、7 584 个报汛站，地面观测、雷达和遥感等技术被充分用于获取洪水数据。这些工程体系为洪水管理的实施奠定了坚实的工程基础，在降低洪水危险性方面发挥了并将继续发挥着巨大作用。

然而，中国的防洪体系是在漫长的历史过程中逐步形成的，加之长年“重建轻管”的倾向，防洪工程也存在着许多问题。正如调研中所了解到的，首先是工程体系地区发展以及干支流发展都不平衡，工程不配套，防洪标准不够，部分施工质量较差，很多修建已久的工程存在病险隐患多，老化失修严重，维修加固任务繁重等问题，难以发挥其应有的防洪功能和综合效益。每年汛期，抗洪抢险任务依然十分繁重。同时，许多中小河流的整治与防洪工程的建设才刚刚提到议事日程之上，在快速城市化的进程中，许多城市新区的防洪排涝能力建设处于滞后于土地开发利用的状态。

4.2.5 防洪区的管理

按照《防洪法》的定义，中国的洪水风险区被称为防洪区，由洪泛区、蓄滞洪区和防洪保护区组成。

洪泛区主要指行洪通道和沿江河湖泊依法修建工程保护的区域。在该区内，既有公共用地，又有承包地和企业、集体用地。对于其中的公共用地部分，《防洪法》授权水行政主管部门管理，但对洪泛区内使用权属于农户或其他实体的土地，《防洪法》要求其中的建设项目应进行洪水影响评价，获得水行政主管部门许可。即使是公共土地部分，一些地方出于当地和短期经济利益考虑，不经水行政主管部门同意，侵占河道，开发建设的情况也时有发生，受行政权限的制约，水行政主管部门对这种行为，特别是有当地政府介入的开发行为的管理和执法难度很大。

按照防洪规划，中国在长江、黄河、淮河、海河等流域设置了97处国家级蓄滞洪区。这些蓄滞洪区既是防洪体系的重要组成部分，又是数千万群众赖以生存的家园。因此，政府为获取更大的防洪效益而运用蓄滞洪区蓄洪时，理应为临时占用土地造成的损失作出补偿。按照《防洪法》的规定，蓄滞洪区所在的地方政府按照防洪规划的要求负责蓄滞洪区日常防洪工作的管理，防汛指挥部负责蓄滞洪区的调度运用和应急管理。

在防洪保护区内，《城市规划法》要求城市规划应当符合城市防洪的要求；在可能遭受严重洪水灾害的地区，必须在规划中安排相应的防洪措施，《防洪法》和《防洪标准》要求一些特定的建设项目，例如重要的铁路、公路干线，大型骨干企业等应达到规定的防洪标准。

此外，中国目前已经开始为推行洪水综合管理进行技术研究的准备，主要启动的工作有洪水资源化技术研究，以及全国洪水风险图制作，等等。

4.3 问题分析

4.3.1 中国防洪体系建设中的薄弱环节

近年来的治水实践暴露出中国防洪体系建设中的一些薄弱环节：

(1)流域规划中的一些骨干防洪工程至今尚未完成或不配套，江河洪水的调控能力未能达到预期目标。

(2)已建工程安全隐患较多，部分施工质量较差，老化失修问题日趋严重，维修加固任务繁重，但是“重建设，轻管理”的现象依然存在，给防洪带来潜在风险，加大了抗洪抢险的压力。

(3)由于大量洼地湿地变为农田、城市向易涝低洼地快速扩展等原因，内涝面积增加，20 世纪 90 年代以来一些大水年的资料分析表明，涝灾损失占水灾损失的比例已达到 70%左右。

(4)治理内涝的传统措施是建设排涝设施，但其能力会受到限制，因为区域积涝成灾，急需排涝时，往往处于河道防汛压力最大的期间，出于防洪安全的考虑，防汛指挥部门会限制排涝量，甚至强制关闭排涝设施。

(5)山洪及其伴生的山地灾害、沿海地区风暴潮、中小河流洪水泛滥等突发性水灾的因灾死亡人数所占比例加大，防灾体系比较薄弱。

(6)洪水监测、预报、预警、调控系统设施还较落后，可靠性与时效性较差，难以满足防汛抗洪应急反应的需求。

(7)蓄滞洪区与滩区安全建设滞后，特大洪水和超标准洪水应急预案的可操作性有待加强。

(8)城市防洪排涝等问题日益突出，城市建设挤占河道的现象依然严重，而城市景观需求提高后与防洪设施(如防洪墙)的建设构成了相互的制约。同时，由于城市供水安全保障要求提高与水质型缺水，一些城市长期超采地下水，又带来地面沉陷、内涝更加难排等一系列新问题。

(9)江河水系流域综合管理的体制与法规制度尚不健全，防洪工程体系建设与维护缺乏良性运行机制与合理稳定的投入机制，与防洪减灾相关的部门间的协调机制较弱，缺乏高风险区土地利用管理的法规与建筑物耐淹的规范。

(10)水利信息化建设的投资渠道不畅，大量重要的雨情、水情、工情、灾情信息散乱缺失，不能及时更新，更无权益共享。

(11)防洪社会保障体系有待加强，全民群防群治、自保互济的组织有待健全。

4.3.2 两难的抉择

1998 年大洪水之后，中国防洪体系的建设再次形成了新的高潮。各级政府成倍增加了治水的投入，在治水方略上前所未有地加大了调整人与自然关系的力度。人们已经开始从社会、经济、生态、环境、人口、资源和国土安全等更加广阔的视野上深入探讨防洪减灾的问题。

然而，受大规模人类活动与环境演变的影响，中国的防洪形势正在发生显著变化：洪灾面积减少，而内涝面积增加；农业水灾损失比重下降，而城市与基础设施水灾损失比重上升；平原洪水伤亡人数减少，而山洪与风暴潮等伤亡比重加大等。随着社会经济的发展，人们的防洪安全保障需求在不断提高；同时，水资源短缺与水环境恶化，正在使古老的防洪问题变得更为复杂、艰巨。作为发展中国家，大规模的治水活动受经济、技术、观念、体制等因素的制约更为苛刻。未来防洪体系的完善与提高，面临一系列两难的抉择。

(1)人多地少，人与水争地。在水、土资源与粮食需求的巨大压力下，中国受洪水威胁区域的高度开发利用是历史既成的状态；人不与水争地则可能要与人争地、与林争地，由此引起的社会问题、环境问题更为尖锐。对于数以千万计已经世代居住于洪水风险区中的民众，如何与洪水共存，摆脱贫困，也是涉及社会公正、进步与发展的大问题。未来30年中国人口将继续增加2亿左右，水土资源与粮食需求的压力将进一步增大。既难以消除水灾风险，又不应继续加重风险，在经济发展与防洪减灾的问题上，人与自然的关系究竟应该如何协调？

(2)区域间基于洪水风险的利害关系。随着中国社会经济的快速发展，流域上下游、左右岸、干支流、城乡间基于洪水风险的利害关系将趋于激化，可协调的余地日益减少。例如上游与支流上加高或新建堤防后，洪水自然调蓄能力减弱，洪水风险可能向干流或中下游平原经济更发达的地区转移；利用水库调洪，虽然可能减轻下游的防洪压力，但水库上游的居民则面临更大的附加风险；以往“牺牲局部保重点”被认为是合理的减灾策略，但如今与缩小贫富差异、创建和谐社会又构成了深刻的矛盾。既要提高“防洪标准”，又要摆脱盲目“拼实力”的怪圈，区域之间基于洪水风险的利害关系如何协调？

(3)水利与国民经济平稳发展的关系。中国经济底子薄，发展不平衡，普通农户与一般城镇居民家庭经济尚不宽余。由于经济实力不足而忽视治水，或指望中央政府短期高投入一举消除水患，确保安全，不仅于治水不利，也于地方经济的平稳发展不利。发达国家的治水方略，建立在其相对雄厚的经济、技术实力之上，并且是在较长的时间过程中逐步遭遇水的资源、环境、景观、生态等问题；而中国却是在百业待兴的情况下同步爆发了水的危机。既要抓住机遇，大灾之后图大治，又要量力而行，避免治水投资大起大落。水利与国民经济发展的关系如何协调，水危机的风险如何才能控制在可承受的限度之内呢？

(4)工程措施与非工程措施的有机结合。在中国的国情下，健全的防洪工程体系是实现人与自然和谐的重要基础。然而中国现有的防洪工程体系，是在很长的历史过程中逐步形成的，受技术、经济条件，及规划建设指导思想与管理体制的局限，既存在程度不等的安全隐患，也面临老化失修不配套的管理痼疾。按照治水新思路的要求，我们应该建好、管好与经济社会发展相协调的标准适度、功能合理的防洪工程体系，并且更为合理地调度运用好防洪工程体系并充分发挥其综合效益，同时大力加强非工程措施，以增强系统整体对风险的适应能力，提高决策科学化水平与管理的效率。然而，以防洪工程措施控制洪水，效率相对容易确定；而对于非工程措施，因需要干预复杂的社会系统，其效率带有更大的不确定性。限制洪水风险区的开发、退田还湖、洪水保险等政策在经济上是否合理可行，至今仍无定论。既要合理建好、管好防洪工程体系，又要加强非工程措施，还要通过非工程措施来促使工程体系的建设和运用更有利于长远与全局，工程措施与非工程措施如何才能有机地结合起来？

(5)计划与市场的发展关系。中国正处于计划经济向市场经济过渡的阶段。计划经济体制下惯用的行政手段作用在削弱，而市场经济体制下行之有效的法制手段与经济手段尚有待建全。相反，计划经济体制下的一些弊病，如急于求成，重建轻管；求眼前而失长远，争局部而损整体；为了经济发展，牺牲生态与环境等问题依然严重存在。防洪作为社会公益性事业，即使在日本、美国等资本主义国家，也依然保持着国有性质，实施由国家有计划按比例发展的方针。既需要统一规划、统一调度、统一管理，又必须克服传统计划经济体制的种种弊病，计划与市场的关系如何协调呢？

(6)近期与远期的发展目标。未来 30 年是中国全面建设小康社会的关键时期。为了保证 16 亿人口的粮食安全，为城市化率能从 40%平稳地提高到 50%～60%，我们必须在可持续发展的长远目标的指导下，建立与社会发展需求相适应的防洪安全保障体系。既要清醒地认识到治水事业的长期性、艰巨性、复杂性，又要因地制宜，明确地提出保障国民经济协调发展的阶段性实施目标，远期与近期的关系如何把握？

4.3.3　焦点、难点和“瓶颈”问题

从以上六个方面的两难抉择中，按照中国洪水管理战略研究的要求，可提炼出以下战略层次的焦点、难点和“瓶颈”问题。

4.3.3.1　焦点问题

如何在科学发展观的指导下，贯彻落实治水新思路，大力推进防洪工作“从控制洪水向洪水管理转变”。

4.3.3.2　难点问题

(1)如何把握适度，因地制宜选择有风险的洪水管理模式，规范洪水高风险区的开发行为和人类活动；在适当承受一定风险的前提下，合理利用洪水资源，充分发挥洪水风险区，特别是蓄滞洪区和洪泛区土地的综合利用效益，促使人与自然的关系向良性互动转变。

(2)如何综合运用法律、经济、行政、教育、科技等非工程措施来推动更加有利于全局与长远利益的、标准适度的防洪排涝工程措施，更为理性地规范人类调控洪水的行为，不断增强自身适应及承受水灾风险的能力，避免人为加重风险。

(3)如何建立高效的政府应急管理和公众应急反应体系，推动减灾的社会化，在灾害不可避免的情况下，减轻暴雨山洪、风暴潮、决堤和溃坝等突发性灾害造成的人员伤亡与财产损失，削弱洪水灾害的不利影响，尽快恢复正常的经济社会秩序。

4.3.3.3 “瓶颈”问题

(1)中国在计划经济体制下长期形成的防洪体系及其运行机制，在市场经济体制下，如何突破与可持续发展需求不相适宜的来自体制、机制、观念、技术等方面的种种制约，加强洪水管理的法规体制建设与部门间的协调，建立防洪工程建设与管理维护的合理的投入制度，并为实施防洪非工程措施落实稳定的投资渠道等。

(2)为了满足现代防洪抗旱体系理性发展对完备、连续、可靠的基础信息的渴求，如何建立现代化的信息管理体系，打破信息不共享的壁垒，为可持续发展扫清一大障碍。

4.4 需求分析

“从控制洪水向洪水管理转变”的根本目的，是为了满足全社会日益提高的水安全保障需求，支撑经济社会的可持续发展。一方面，随着自然环境的演变、社会经济的发展及人们价值观念的调整，水灾损失的构成及其影响正在发生显著的变化，不同类型的区域与群体，对防洪安全保障的标准不仅会有量上的差异，而且在保障的形式上甚至会有质的不同。另一方面，现代水利的发展也必然对洪水管理提出新的更高的要求。因此，需求分析是科学制定洪水管理战略的基础工作与重要环节，对于流域防洪体系的建设与评价具有重要的意义。

4.4.1 全社会日益提高的安全保障需求

社会经济越发展，对防洪安全保障的要求就越高，相应地对防洪安全保障体系建设的投入能力与管理能力也越强。流域中防洪安全保障能力若低于安全保障的要求，则会出现水灾损失急剧增长，制约经济发展的问题；若在安全保障方面的承诺过高，则可能无经济技术实力兑现，反而引起社会上的不满；若超越经济发展水平，盲目提高安全保障水平，则反而可能导致社会经济的不协调发展，即使一时提高上去，也会由于无力维持而衰减下来。因此，流域防洪安全保障体系的建设，必须与流域社会经济的发展相协调。在社会经济发展诸指标中，对防洪安全保障影响较大的因素有人口的发展，经济的发展，城市化进程，以及流域交通、能源、通信、金融等网络系统的发展等。

4.4.1.1　对防洪安全保障需求的基本认识

防洪安全保障需求是一个综合性的、动态变化的概念。防洪安全保障需求不仅与洪泛区人口、资产密度的增加有关，而且涉及人们心理上对安全保障的期望水平、对所处环境洪水风险特性的认识、其资产的易损性以及自身的承灾能力等因素，具体分析如下：

(1)安全期望。在摆脱了温饱的困扰之后，安全就成了社会最基本的需求。总体来看，人们富裕的程度越高，对安全保障的期望越大，对生命越为珍惜，对因灾失去已有资产就越为担心，对因意外事件造成正常生活、生产活动中断或不便就越难以容忍。然而，人们过高的安全保障期望，可能使得心理上承受灾害的能力降低。因此，作为发展中国家，政府需要认真考虑如何满足全社会日益提高的安全保障需求，同时，对确保安全的承诺又不宜过高。

(2)水患意识。当人们意识到自己所处的环境存在遭受洪水危害的可能性且无可规避时，就会提出防洪安全保障的需求。随着防洪工程保护范围的扩大、标准的提高，在多年不发生超标准洪水的情况下，人们又可能逐渐淡漠了水患意识，自以为已得到足够的保障而放松在防洪安全建设方面的投入。而一旦洪灾发生，损失惨重，又可能使水患意识提高，迫切要求在短期内大幅度增加投入来迅速提高防洪标准，形成大灾之后才有大治的循环。现代社会中，灾区的范围开始变得模糊。在未受淹也受损的情况下，人们的水患意识会升华到新的高度。

(3)资产易损性。越是价值高、受淹后易损的资产，越是在系统中具有难以替代的地位，一旦损失后自身价值无法弥补且会产生连锁灾害性反应的资产，安全保障的要求就越高。如果我们能够有效增强资产的耐淹性，使易损而又重要的资产避开高风险，则未必一定是确保不受淹才是满足安全保障需求的惟一办法。

(4)承灾能力。经济的发展，一方面可能使得损失值增加，另一方面，在资产分布与结构合理的地方，损失占总资产的比重可能下降，社会承受灾害的能力相应增长，受灾后能够较快恢复正常的状态。因此，适度承受一定的风险，从受洪水威胁的土地上争取较大的净效益，辅以风险分担、补偿的措施，也能达到提高安全保障水平的目的。

4.4.1.2　防洪安全保障需求的变化

现代社会中防洪安全保障的需求从内容到形式都在发生显著的变化。面对洪水的袭击，人们不仅要求保证生命财产的安全，而且要求基本保持或尽快恢复正常的生产、生活秩序，这就使得安全保障的内容发生了质的变化。农业社会中，灾区范围与受淹范围基本保持一致。而现代社会中，由于网络化结构的形成，则可能出现：①遭受损失的区域远远超出洪水淹没区域。例如，远离受淹区的企业也可能因为交通、通信、供水、供电、供气等网络系统的破坏而遭受重大的损失。②间接损失超过甚至远远大于直接损失。各种生命线系统本身遭受破坏的直接损失可能有限，但是系统瘫痪所造成的间接损失则难以估量，且恢复越慢，损失越大。③随着信息时代的到来，社会各种功能的正常运转对计算机系统的依赖性逐渐增强，一旦计算机系统遭受水灾的侵害，重要数据与专用软件可能受到难以弥补的损失，社会也可能出现不同程度的混乱。显然，面对社会安全保障需求的质的变化，单纯依赖防洪工程体系已经不够，必须建立更加完善的应急管理体系；灾后救助体制,也需要从低水平的灾民温饱救助型向社会化的风险分担体制发展。

传统农业社会中，农田受淹后成灾率很高，普通农民住房耐淹性很差，农民收入中农业收入所占比重很大，而农作物生长周期长，一旦遭灾，可能意味着倾家荡产，一年半载生活无着落。一次大灾之后，可能需要若干年才能恢复到灾前的水平。因此，人们“根治河流、消除水患”的愿望会特别强烈。在与水争地的过程中，人们只能寄希望于不断扩大保护范围、提高保护标准。

现代农业社会中：①经过大规模防洪排涝工程的建设，洪水危害的范围已受到一定的限制，淹没的持续时间也能得到控制；②由于农业生产能力的提高，土地一年可以多季生产，粮食单产也显著提高，一季作物损失的灾难性影响降低；③城镇化的发展，为农村剩余劳动力提供了更多的就业机会，使得农村家庭年收入的结构发生了变化；④农村砖混结构房屋已逐渐取代过去水浸即垮的土房，特别是二层以上楼房明显增多；⑤国家经济实力的增强和交通、通信条件的改善，使得灾后救援能力和获得救援的时效得以提高。这些变化都使得农村承受灾害的能力显著提高。另一方面，现代农业的发展对农田水利设施的依赖性增大。目前大型灌区、农村电力供应系统等防洪标准相对较低，一旦冲毁，损失很大，恢复重建的成本很高。

例如,海河流域近 50 年来的发展,传统农业社会的面貌已发生了很大的变化。以河北省为例，1997 年与 1949 年相比，人口从 3 086 万增长到 6 525 万，翻了一番多；而粮食总产量从 469.5 万 t 增长到了 2 746.7 万 t, 是新中国成立之初的 5.85 倍, 其中, 小麦产量从 86.4 万 t 增长到了 1 330.7 万 t, 占粮食总产的比重从 18.4% 提高到了 48.4%。从“96 · 8”大洪水的实际影响来看，1996 年与 1995 年相比，玉米、大豆、棉花、芝麻、黄红麻、甜菜虽有减产，但是小麦、稻谷、薯类、油菜均为增产，且总产从 2 739 万 t 增加到了 2 789.5 万 t，1997 年的小麦与稻谷增产幅度更是大于平均年份。这种现象说明，新中国成立 50 年来兴建的防洪工程体系有效地发挥了保障作用，避免了大洪水对农业的波动性冲击；同时，适当有控制地形成一定范围的淹没，使得地下水得到较多的回补，还可以产生滞水冲淤、冲污、洗碱、淋盐和改善生态与环境的综合效益。正是这些社会、经济、生态、环境方面的重大变化，使得我们有可能考虑如何在受淹难以避免的情况下，通过实施洪水风险管理来提高防洪安全保障水平,在治水方略中适当承受一定的风险，以寻求与自然更为和谐的发展模式。

值得强调的是，流域中蓄滞洪区的居民与大中型水库库区的居民，是具有特殊防洪安全保障需求的群体。一旦发生超标准洪水，往往需要他们作出牺牲来保证整体的安全。但是，他们应该同样具有获得安全保障的权利。在人多地少的情况下，为了提高蓄滞洪区与大中型水库库区居民的安全保障水平，既不可能通过修建防洪工程来消除其受淹的可能性，也难以依靠大规模的移民来消除损失，只能是依靠建立基于风险管理的逐步完善的社会安全保障体系。

城市防洪安全保障的需求，与城市的政治经济地位、人口规模、经济结构、资产类型及洪水风险程度等有关。一般来说，城市防洪排涝标准较人口资产密度低的周边农村要高一些。在城市化的进程中：①城市人口、资产密度越来越大，同等淹没条件下，通常损失也越大，因此防洪保护标准也相应要求不断提高；②城市面积不断向防洪排涝标准较低的区域扩张,新城区必然要求提高保护标准；③由于城市不透水面积增加、径流系数加大，老城区已有防洪排涝设施的能力相对削弱，洪涝风险加重，因此需要加强老城区防洪排涝系统的改造；④城市空间的立体开发，尤其是地下室、地下商业街、地下停车场、地下交通网络、下挖式立交桥等的出现，提出了新的防洪保护问题；⑤由于城市对生命线网络系统的依赖性增大， 以及城市经济、金融、交通、通信中心作用的强化，各种经济部门的联系日趋紧密，一个部门受灾可能会强烈波及其他部门或行业，因此城市面对水灾的脆弱性加大，一旦因水灾导致城市某些功能的瘫痪， 影响辐射范围广，城市洪水灾害的间接经济损失大为增加；⑥由于城市需要“八方水土养一方人”，在洪水围城的情况下，即使洪水不进城，内外物资、能量、信息交流的受阻，也会造成巨大的混乱与损失。因此，如何保证城市的防洪安全，当洪水袭来时保持或尽快恢复正常的秩序，成为新的难题。

另一方面，也应该看到，虽然现代城市水灾总体损失增加，但是由于工业与服务行业生产周期短，城市建筑耐淹性增强，水灾直接损失占资产总值的比重必然大大下降。由于城市经济技术实力较强，灾后恢复重建能力也相应增强。

4.4.2 现代水利发展对洪水管理的需求

为了更加充分合理地利用洪水资源，需要适度承受洪水风险。人类利用洪水由来已久，而现代社会中，为了缓解随工业化、城市化而日趋严重的水资源短缺问题，需要充分利用不断提高的防洪能力，更大限度地发挥水利工程体系的资源转化潜力来以丰补歉。可以说，风险小而效益高的洪水利用模式，人类早就尝试过了。今天要想合理推进洪水资源化，无论是调整汛限水位，还是利用蓄滞洪区，都意味着要承受较大的风险。通过适度淹没农田以回补地下水，则必然会造成一定的损失，但可以通过辅助的工程措施，来控制淹没的范围、水深与历时，将风险控制在可承受的限度之内。这些都需要对洪水的风险做更为细致的分析，并协调好区域之间、人和自然之间基于洪水风险的利害关系。

为了早日走出水环境恶化的低谷，需要既充分发挥洪水的环境效益，又减轻其不利影响。20 世纪中，一些已经步入发达行列的国家(地区)，在经济快速发展阶段，也曾经付出了牺牲生态与环境的代价。根据世界银行的计算，美国是在人均 GDP 达到 1.1 万美元的时候，日本是在人均 GDP 达到 8 000 美元的时候，环境恶化通过 U 形底点进入好转期的。套用这样的模式，中国生态与环境恶化的总体趋势将难以逆转。有专家提出，中国应争取将逆转的阈值降低到人均 4 000 美元。而关键的问题是如何才能降低阈值。在洪水管理中，对已建防洪工程体系进行适当的改造，对调度规则进行必要的调整，既考虑水量的调节，又考虑水质的调节，是降低阈值的有效措施。如何充分发挥防洪工程体系的作用，合理利用洪水更换、稀释污染的水体，增加河湖水域的水环境容量，减轻洪水对生态与环境的负面影响，是洪水管理的基本任务之一。

为了满足民众对安全、舒适、亲水环境的更高要求，需要更新价值观念，全面提高水安全保障水平。在现代社会中如何不断提高防洪保护标准已经是个难题，而营造舒适、亲水的环境，与保障安全还往往构成矛盾。洪水管理中需要考虑：如何使防洪工程体系在不降低防洪安全标准的前提下，形成舒适、亲水的环境；如何利用自然的力量来装饰防洪工程，降低营造与维护秀美景观的成本；如何对于景观工程进行防洪安全的评价，等等。此外，对于亲水环境中的人群，还要考虑如何采取有效的警报避难措施，尽力消除意外的人身伤亡。

为了与自然共存共荣，需要实施综合治水方略。20 世纪中人类社会突飞猛进的发展，一度从敬畏自然转向征服自然。随后，在对生态与环境恶化的反思中，又经历了从空谈人是自然界中的“普通一员”，回归到如何坚持以人为本，如何明确人类的责任，如何建立起人与自然之间良性互动的关系，如何公正处理人类社会内部分享自然资源与分担灾害风险的矛盾。洪水管理所追求的正是以综合治水的手段，在经济快速发展的过程中，通过人类自身承受适度的风险，不断重构人与自然之间更高层次的平衡，以支撑和谐、可持续的发展。

4.5 约束条件分析

在从农业社会向现代社会过渡、计划经济向市场经济转轨的大背景下，针对社会经济快速发展时期出现的治水新问题，中国已经着手推进“从控制洪水向洪水管理的转变”，为此必然需要实施一系列新的方针与政策，在其形成与推进的过程中，又必然会受到现行法律、行政、社会、经济、政治、技术、环境、价值观、认知与信息，以及习俗与文化道德等种种因素的制约。因此，制约因素分析是关系到洪水管理成败的一个至关重要的环节。

通过洪水管理战略的研究，需要对各种制约因素及其特性建立起清醒的认识，并明确：①在现有制约条件下，洪水管理的可行模式；②随着社会经济的发展，制约因素可能发生的变化；③推进洪水管理的工作，哪些可以先做起来，哪些需要等待时日；④为了满足社会日益提高的防洪安全保障需求，只有突破那些制约因素，才可能切实推进洪水管理。

4.5.1　法规与行政管理制度的制约

此类制约涉及到洪水管理的主体、权限与依据，主要制约因素包括立法与执法的权限、现行法律的局限性、管理体制与部门间的协调运作机制、防洪规划自身的局限性等。

(1)中国 1998 年开始实施的《防洪法》与 2002 年修订的《水法》，虽然已将流域管理纳入了法律框架，但是尚未建立有关流域管理的专门法规；《防洪法》的一些配套法规也有待健全。例如，《防洪法》第 47 条规定，国家鼓励、扶持开展洪水保险，然而，国家鼓励、扶持怎样的洪水保险，国家如何鼓励、扶持洪水保险，仍有待制定专项的配套法规。

(2)实施流域洪水风险管理涉及各级政府众多相关部门，但是，尚未从法律上明确各自的责任并建立起有效的协调运作机制。例如，对洪水风险区中土地开发利用的管理、建筑物耐淹化的管理，以及对人类行为的规范等，都受到现行法律责任不明的制约。

(3)中国中央政府和省级政府具备在现有法律框架下制定国家和地方政策的立法权，行业管理部门和省级以下政府只享有国家和省级立法机构所授予的行政管理以及根据国家和省级法规的要求制定行政规章的权力。因此，若单靠水行政主管部门的力量推进洪水管理，要制定相关政策法规则必然受到立法权限的制约。

(4)洪水管理政策的制定还受到现行法律的约束。中国与防洪有关的法律，包括《防洪法》对洪水管理的行政职责进行了划分，流域、区域、河段、湖泊的防洪规划由水行政主管部门编制，管理的地理区域为河道、湖泊和蓄滞洪区的防洪工程；城市政府负责编制城市防洪规划；地方政府负责编制治涝规划和山洪治理规划。地方政府按照《防洪规划》的要求对防洪区(包括防洪保护区、蓄滞洪区和洪泛区)的土地利用实行分区管理。

(5)流域防洪规划是建设流域防洪体系的基本依据，但是，近期即将审查通过的各大流域机构的防洪规划的主体工作是在 2003 年以前完成的，因此难以充分反映向“洪水管理”转变的需求。

(6)水行政主管部门的管理权限也限制了洪水综合管理机制的形成。在 20 世纪 80 年代已有人提出中国洪水管理应由河道向洪泛平原延伸，受管理权限“条块分割”的制约，至今，洪泛平原的洪水管理政策仍在探讨阶段。

(7)几十年来，中国的水行政管理部门已形成一整套基于工程的防洪理念，按照“上蓄、下排、两岸分滞”的防洪方针，大力构造以水库、堤防、分洪道、蓄滞洪区等组成的防洪工程体系。国家的相关法规和投入机制也促进了“工程水利”格局的形成：“非工程”的洪水管理措施难以获得稳定的、充足的资金保障。由于这一历史原因，各级水行政管理部门具备洪水管理技能的人员匮乏，洪水管理的理论和实践基础薄弱，形成了洪水管理的行政上的“瓶颈”。

受上述法律规定的手段和“条块分割”的管理权限制约或由于缺乏相应的立法，制定与推行协调人与洪水的关系、规范兼顾洪水风险特性的合理的土地开发利用方式政策的条件在许多方面还不具备。相对而言，由于长期形成的以控制洪水为主导策略的“防洪”方针，针对以工程防洪的法律体系比较健全，立法权限比较清晰。因此，中国法规与行政管理体制的变革是长期渐进的过程，要经过较长的时间才会有显著的突破。

4.5.2 社会与价值观念的制约

此类约束涉及到洪水管理的对象及特性，主要制约因素包括人口(数量、素质、分布与迁徙趋向)、社会发展阶段与形态、城市化特点、区域间的利害关系与冲突、社会价值观念、传统文化与习惯势力等。

(1)经过几千年的发展与繁衍，迫于人的生存压力，中国的洪泛区，甚至行洪滩地几乎被开发殆尽。贾让的治黄上策之所以在当时未被采纳，历史上多次“退田还湖”、“不与水争地”措施几乎无一例外地无功而返，随后是更大范围的“与水争地”，以及1998年洪水后所采取的“平垸行洪，退田还湖，移民建镇”方针效果不理想，都与人口这一最基本的社会约束有关。

(2)中国目前尚处于农业社会向现代社会过渡的工业化阶段，即使是经济发展最好的沿海地区，也不过处于污染控制与水质恢复期，与已经处于河流综合管理、可持续利用期的发达国家尚有相当大的差距，一些最先进的措施尚不具备推行的条件。

(3)城市化的发展是影响人口迁移进程的重要因素。面对高风险区中大量流动人口，依靠法律、行政等手段尚难以收到洪水管理的预期效果；由于中国洪水高风险区中人口密度大且相对贫穷，完全依赖风险分担与风险补偿的措施势必负担沉重。

(4)流域上下游、左右岸、干支流、城乡间基于洪水风险的利害关系趋于尖锐，以往一些牺牲局部保重点的防洪措施，实施阻力显著增大。

(5)随着市场机制的引入和对个人价值取向的认可，多元化的社会意识形态正在逐步形成。传统有效的治水理念与措施，难免与新的价值观念产生冲突；新的治水理念与措施的推广也可能受到传统价值观念与习俗的阻挠。正是由于价值观念的差异，许多治水问题的争论，都难以得出定论。

(6)移民安置任务艰巨，成为防洪工程建设的重大制约因素。为减少洪水高风险区居民而安排的移民，也受到各种社会因素的困扰。黄河滩区的移民又陆续返回原地等问题，一再表明洪水管理政策应适应特定的社会条件并及时针对社会系统的反应作出调整。

中国社会的变革将是一个长期渐进的过程，有些制约因素已难以逆转，因此洪水管理战略必须把握中国社会发展的阶段特征，深入剖析各种价值观的本质，并在价值观的冲突中寻求协调和平衡，当洪水管理措施触及被管理者利益、生活方式和传统习俗时，更需谨慎。

4.5.3　经济发展水平的制约

此项制约涉及到洪水管理的物质基础，主要制约因素包括经济实力、价值取向、贫富差距与承受能力等。

(1)作为一个发展中国家，投资不足一直是制约防洪体系发展的主要因素，而“大灾之后”才“有大治”的不稳定的投入模式，更是困扰防洪体系健康发展的病根之一。

(2)中国多数农民和城市居民并不富裕，采用洪水保险等分担风险的措施与规定居民私有住房建筑物耐淹标准的措施尚难以实施。

(3)严格限制洪水风险区的开发、退田还湖等减灾措施，在中国国情下经济是否合理可行，尚缺乏充分的论证。

随着经济的持续发展，经济上的制约在一定程度上将逐步松解。但是由于中国经济发展的不平衡，经济实力仍将是长期的制约因素。在此过程中，如果忽视经济的制约，采用集中高投入快速提高局部区域防洪标准的治水模式，虽能一时体现“政绩”，但也可能造成一定程度的经济发展失调和公共资源的浪费。

4.5.4　认知、技术与信息的制约

此项制约涉及到洪水管理的认知水平与支撑条件，主要制约因素包括对洪水风险特性、洪水社会学与心理学的认知，防洪工程体系调控能力与安全可靠性、信息管理与决策支持系统的发展水平、专业技术人才的状况等。

(1)全国洪水风险图尚处于起步阶段，实施风险管理缺乏必要的依据，是推进洪水管理战略的一大障碍。

(2)自然与社会中大量的不确定性因素，使洪水与洪泛区内资产的相互作用机理、损失和防洪效益的估算、洪水价值的评价等问题存在着认知困难；洪水经济分析不足，洪水管理决策就难以确定是否合理地配置了公共资源，从而有可能导致决策无效率或失误。

(3)不同的人、不同的利益集团对灾害的认识和反应可能迥然不同，而洪水社会学和洪水心理学是洪水管理中认知最少的一个领域。一些貌似合理的洪水管理

政策措施在实践中问题层出，事与愿违，究其原因，往往可归结为没能正确认识社会(包括公众和各级决策者)的应对行为和可能的响应机理。

(4)防洪工程自身安全存在隐患，监测、预警、预报系统不完善，是妨碍防洪工程体系正常调度运用的主要原因之一。

(5)难以获得防洪减灾风险管理与应急管理所需的连续、完备、可靠的信息，已有信息不共享，是实现科学决策的关键性的制约因素。一些本应通过社会化服务获取的社会、经济、人文方面的信息，因缺乏来源或合理的共享机制，也严重妨碍着决策的科学化。

(6)专业技术人才与管理人才的匮乏，是实施洪水管理的根本弱点。

诸如此类的认知不足和信息缺陷，将会随着社会与科技的进步而好转，但是过程缓慢，这也决定了中国洪水管理战略的推进必然是一个渐进的过程，并要求洪水管理采取一种因势调整的模式。

4.5.5 环境与生态的制约

此项制约涉及到洪水管理中人与自然的互动关系，主要制约因素包括区域生态与环境特性和变化趋向，人类治水活动对环境与生态的影响程度、对生物多样性的保护要求等。

(1)流域中植被破坏、水土流失、水库淤积、河道行洪能力下降、地下水位下降、地面沉陷、湿地萎缩、水质污染等一系列生态与环境的变化，使得已有防洪工程的效益难以正常发挥。

(2)防洪工程的负面效应受到社会各界的重视，使得某些防洪措施难以继续实施。

(3)对生态与环境及生物多样性的保护要求使得防洪工程建设面临更大的压力。

在经历了企图以人的意志改造自然的无数挫折之后，人们已认识到人类不可能不依赖于自然生态与环境系统而独存,或至少不会比与自然和谐共存处境更好。既然在利用洪泛区资源谋求人类社会发展的同时还要依赖和保护为人类提供利益的洪泛区的生态与环境系统，则洪水管理措施，特别是通常会导致生态系统破坏或萎缩的工程性措施，必然要考虑生态与环境约束。随着社会文明的进步，人类会更加重视生态系统价值，约束自身的行为，必然会对防洪工程的建设提出更为苛刻的要求。

4.6 本章小结

深入分析中国推进洪水管理的基础，对于制定适合中国国情的洪水管理战略非常重要。本章首先简要回顾了中国的治水历史，从中国悠久的治水历史长河中吸取丰富而深刻的治水思想，然后根据“中国洪水管理战略研究”项目在陕西、河北、安徽、湖南、浙江、广东6个省份开展的中国现行防洪管理实践调研，以及大量的资料分析，从防洪管理法规、体制、防洪规划与防御洪水方案、防洪工程体系及其管理、防洪区的管理等方面，分析了中国推行洪水管理的现状基础。接着，从战略层次分析了中国推行洪水管理的主要问题，包括中国防洪体系建设中的薄弱环节，两难抉择，以及焦点、难点和“瓶颈”问题，并从社会安全保障需求和现代水利发展两个角度，分析了中国推行洪水管理的需求。在此基础上，从法规与行政管理制度、社会与价值观念、经济发展水平、认知技术与信息，以及环境与生态考虑等方面，深入分析了中国推行洪水管理的约束条件，为提出中国洪水管理战略框架与制定行动计划奠定基础。

分析表明，中国已具备的比较有利的条件和基础主要有：

(1)政府深入认识到了推行洪水管理的重要性和紧迫性，决定实现由控制洪水向洪水管理的战略性转变。

(2)已经具备了诸如《防洪法》、《防汛条例》等系列基本法律法规，用以规范和指导洪水管理工作。

(3)应急管理体系从中央到各级地方政府形成了一整套相对完整的机构体系，运转行之有效，特点和优势非常显著。

(4)各级洪水管理部门根据法律法规要求制定了相应的防洪规划和防洪预案。

(5)已经开始了一些技术基础准备工作，如洪水资源化技术研究、洪水风险图制作，等等。

但与洪水管理的要求相比，还有不少方面需要调整和改进，主要有：

(1)现有法律法规对洪水管理中土地利用管理、建筑物规范、水资源与环境管理方面的规范与要求规定得不够，或者基本上没有规定。

(2)现行防洪管理体制主要体现了水利部门的职责，还应当充分考虑其他部门，如国土部门、建设部门、民政部门等在洪水管理中的作用。

(3)需要采用科学的规划方法和程序，提高洪水管理规划和防洪预案的科学性和可操作性。

(4)工程体系地区发展以及干支流发展不平衡，工程不配套，防洪标准不够，部分施工质量较差，很多修建已久的工程存在病险隐患多，难以发挥其应有的防洪功能和综合效益。

5 中国洪水管理战略框架

2003 年初，水利部与国家防汛抗旱总指挥部提出中国防洪抗旱工作要实现“两个转变”，2004 年初将“两个转变”明确地表述为：坚持防汛抗旱并举，实现由控制洪水向洪水管理转变，由单一抗旱向全面抗旱转变，为中国经济社会全面、协调、可持续发展提供保障。中国洪水管理战略框架是从战略高度，阐明洪水管理的战略地位与作用，确定向洪水管理转变的战略目标、要求与原则，提出推动转变的重大战略措施，建立中国洪水管理战略的运作模式与推进机制，形成指导或决定如何推动洪水管理这一战略性转变的全局计划和策略。

5.1 战略地位与作用

向洪水管理转变是需要较长时期才能实现的战略性转折。只有切实认识和明确了洪水管理的战略地位与作用，才能不畏艰难曲折，持之以恒地将洪水管理战略推向前进。

5.1.1 健全中国公共安全保障体系的迫切需要

公共安全是由政府及社会针对自然与人为灾害、危机事件与危险事故，为保护人民生命财产安全与维护社会安定而提供的基础保障，是政府加强社会管理和公共服务的重要内容。公共安全是国家安全和社会稳定的基石，是经济和社会发展的必要条件，是人民安居乐业的基本保证。建立与全面建设小康社会相适应的公共安全保障体系，是中国经济社会快速发展时期亟待解决的重大战略问题。

洪水灾害是中国最为严重的自然灾害。面对现代社会不断提高的防洪安全保障需求，单纯依靠防洪工程体系不断扩大保护范围、提高保护标准已面临困境。洪水管理战略调整的方向就是从防洪工程体系建设向防洪安全保障体系建设发展，在中国公共安全保障体系的发展中，必然占有重要的地位(见图 5.1)。

5.1.2 实践科学发展观、提高执政能力的具体体现

随着时代的进步，人类对于发展的观念正在改变，从以往单纯追求经济的增长转向了追求人类的发展。人类发展的概念是“提高人民的生活质量，增加人民发展的机会，提高人民的能力”(胡鞍钢，1999)。中国是受水旱灾害影响严重的国家，在经济快速发展的过程中，实施综合性的洪水管理战略，处理好发展与防

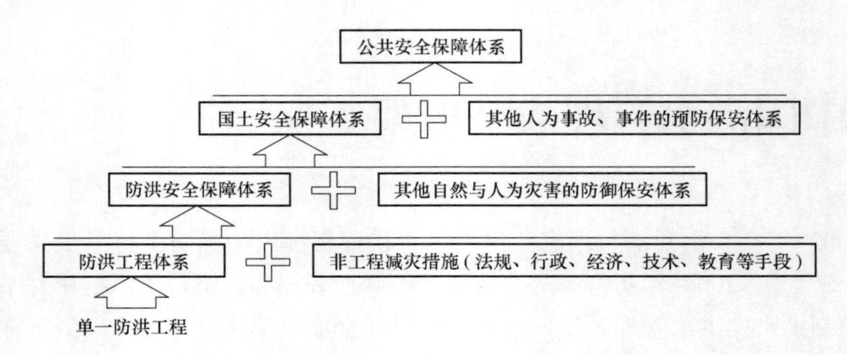

图 5.1 防洪安全保障体系的特点与地位

灾的关系，发挥防洪体系的综合效益，将有利于改善人民的生活质量；同时，人民才可能获得更好的公共服务与享受更高的社会保障，人民抵御水灾风险的能力才能相应提高。因此，实现向洪水管理的转变，是体现执政为民、"以人为本"的必然需求。

洪水管理追求的是系统整体的协调发展，管理的目标不是最大限度地满足局部地区当前的最大需求，而是实现系统整体的长远的最大利益。洪水管理倡导建立与经济社会发展水平相适宜的稳定的投入机制，而不仅是大灾之后才有大治；倡导建立风险分担的机制，重构人与自然、区域与区域之间的平衡关系等。而要做到这些，必然需要执政党和各级政府出面组织，统筹兼顾，协调发展，长期有计划地推进实施。因此，向洪水管理的转变，是实践科学发展观和提高执政能力的具体体现。

5.1.3 实践治水新思路、保障水安全的必然选择

在实施中国现代化建设第三步发展战略的新时期，水利已经成为中国经济社会发展中具有基础性、全局性和战略性的重大问题。水利工作要围绕服务全面建设小康社会的目标，坚持全面规划、统筹兼顾、标本兼治、综合治理的原则，实行兴利除害结合、开源节流并重、防洪抗旱并举，对水资源进行合理开发、高效利用、优化配置、科学管理、全面节约、有效保护，以水资源的可持续利用支持经济社会的可持续发展，为全面建设小康社会提供有力支撑和保障。

在社会经济发展的新形势下，中国单纯依靠防洪工程建设与抗洪抢险、入海为安的传统治水方略，已经不能适应当前人与水之间确立的新型关系，不能适应中国体制、社会形态、经济发展水平和生态与环境的巨大变化。只有向洪水管理转变，既有标准适度、功能合理、安全可靠的防洪工程体系，又以法律、行政、经济、科技、教育等综合手段满足全社会日益提高的防洪安全保障需求，通过完善、配套、合理改造与科学调度，充分发挥防洪工程体系在防洪减灾、洪水资源

化和改善生态与环境等方面的综合效益；既管好水，又规范人的行为，适度承受风险，才能有利于人与自然的和谐。因此，向洪水管理转变，是实践治水新思路，统筹考虑防洪安全、供水安全、饮水安全、粮食安全与水环境安全保障的基本需求，也是历史发展的必然选择。

5.2 战略框架的指导思想、基本原则和战略目标

5.2.1 指导思想

在全面建设小康社会、保障公共安全与实现可持续发展的国家总体战略框架下，从中国水旱灾害并重、区域间洪水风险特性差异大、经济处于快速发展阶段但发展不平衡的基本国情出发，为了满足全社会日益提高的水安全保障需求，要努力实践科学发展观和治水新思路，全面启动、梯次推进由控制洪水向洪水管理的战略性转变，逐步实现以科学发展观和风险管理理论为指导的洪水综合管理。

5.2.2 基本原则

5.2.2.1 遵循规律、实事求是

经济社会的发展具有自身的规律性。防洪抗灾是经济社会发展安全的重要保证措施，应当因地制宜、把握机遇、循序渐进，使向洪水管理的转变，既遵循自然规律，又顺应经济社会的发展规律。

5.2.2.2 中外结合、借鉴吸收

广泛吸收和借鉴国外先进的洪水管理理念以及经验教训，结合中国现实社会经济发展状况以及区域自然地理环境的差异，充分借鉴，有选择、有区别地利用国外洪水管理实践的成功经验，吸取他们的教训，帮助制定中国洪水管理战略，推进中国洪水管理战略。

5.2.2.3 全面规划、统筹兼顾

坚持标本兼治、综合治理的方针，抓住中国基础设施建设的黄金时期，将完善防洪工程体系与健全非工程体系有机地结合起来，与水资源管理和环境管理等目标相结合，为水利与国民经济的协调发展、人与自然的和谐共处创造条件。

5.2.2.4 风险适度、公平分担

人多地少、人水争地的基本国情，要求中国必须承担适度风险，对受洪水风险威胁的地区进行开发和利用。同时也要坚持兴利与除害结合、防洪与抗旱并举，始终将保障生命安全放在首位，合理利用洪水资源，积极为经济发展、社会稳定与环境保护创造基本的条件。对于洪水风险，要做到风险分担、利益共享、左右

岸兼顾、上中下游协调、城乡间互补，使向洪水管理的转变有利于缩小城乡差别与贫富差距，创造公正与和谐的社会。

5.2.2.5　政府主导、公众参与

政府主导，依法行政；公众参与，舆论监督。在洪水管理中，政府承担主导责任，但不负无限责任；任何区域、机构、个人在发展中，有权选择风险但必须自己承担风险，有权保护自己，无权加重他人的风险。

5.2.3　战略目标

5.2.3.1　长远目标

到21世纪中叶，全面实现向洪水管理的转变，建立较为完善的防洪安全保障体系，推行在科学发展观和风险管理理论指导下的洪水综合管理。防洪安全保障体系包括洪涝灾害防御体系、防汛应急管理体系、水灾社会保障体系、水灾行政管理体系、防洪法规政策体系、防洪资金保障体系和防灾科研教育体系七个部分，满足全社会对水安全保障的需求，支撑可持续的发展(水利部:《全国水利发展“十五”计划和到2015年的规划思路报告》)。

5.2.3.2　阶段目标

阶段目标为2015年前应该争取实现的目标。由于中国经济发展不平衡，经济发达地区应争取早日实现阶段目标。

(1)加大防汛抗旱工作“两个转变”、洪水综合管理理念的宣传力度，使得“两个转变”的理念更加普及和深入人心，变成全行业、全社会的自觉行动。

(2)建立健全为推进“两个转变”所需求的各项管理体制和运行机制，适应经济社会的发展变化，强化洪水风险管理与应急管理的体系，建立并实施洪水影响评价管理制度。

(3)加强和完善防洪工程体系的建设与改造，适度提高中小河流的防洪标准，改进洪水预报、调度系统，建立现代化的防汛抗旱指挥系统，做到标准内洪水不成灾，发生标准外洪水时最大限度地保障人民生命安全，减少财产损失；在进一步提高整体抗御洪水能力的同时，发挥工程的综合效益。

(4)建立满足推进“两个转变”所需求的科研教育体系，加强管理能力建设，为科学制定防洪工程规划与制定应急预案提供科学的依据，提高预案的可操作性，加强各地区的洪水风险分析与评价工作，规范水灾的评价方法，完成风险图的制作，完善灾情统计制度。

(5)建立有计划、按比例各级政府分级负担的防洪体系资金保障体系，形成稳定的投入机制。

(6)建立社会化的减灾体系，加强“群防群治、自保互救”防灾训练，提高全社会的水患风险意识。

5.3 总体战略、重点战略任务与关键内容

5.3.1 总体战略

中国实施洪水管理的总体战略是选择有风险的洪水管理模式，在深入细致把握中国各流域水系洪水风险特性与演变趋向的基础上，因地制宜，将工程与非工程措施有机地结合起来，以法律、行政、经济、科技、教育等非工程措施来推动更加有利于全局与长远利益、标准适度的工程措施，辅以风险分担与风险补偿政策，形成与洪水共存的治水方略；逐步健全水灾应急管理体制，增强应急反应能力，在保障生命安全的前提下，适度承受风险，求得防洪区土地利用与洪水资源化的最佳效益，支撑全面、协调、可持续的发展。

5.3.2 重点战略任务

5.3.2.1 实施风险管理

在防洪工作中实施风险管理，就是要通过防洪工程建设以及体制、机制创新和法制建设，有效地规避风险、承受风险和分担风险，提高化解和承担洪水风险的能力。所谓规避风险，就是要以防为主，防患于未然，采取永久性或临时性的有效措施，将水灾弱势群体与重要易损资产安置或转移到可能的洪水位以上或受淹区之外。所谓承受风险，就是通过经济、社会与生态等综合分析、权衡利弊，将洪灾风险控制在一定的程度之内，既不可能也没有必要控制所有量级的洪水，并要准备承受超标准的洪水风险。因此，修建防洪工程时标准要适度，还要按照风险管理的要求合理确定工程的功能，避免一味转移风险。防洪调度同样存在承受风险问题，既要确保安全，又要让工程更多地兴利，关键是要科学地把握风险度。所谓分担风险，就是要公平地对待风险转移，除国家财政承担必要的责任外，要根据利害相关因素在不同区域以不同形式合理分担风险，建立洪水风险补偿救助机制和洪水保险制度。

5.3.2.2 规范人类活动

防洪工作中必须依法规范人类社会活动，使之适应洪水的发生发展规律，避免或减少洪灾发生的社会动因，以趋利避害。洪灾是水与人相互作用的产物，这是同等重要并相关的两个方面，缺一不可。过去我们主要是对洪水进行控制，很少考虑人类行为造成的损失和影响，而洪水管理就是要更多地关注和规范人类活动，尽可能给洪水以出路，给洪水以更大的滞蓄空间，在防止水对人类侵害的同时，要防止人对水、对自然的侵害，实现人与自然的和谐。

5.3.2.3 推行洪水资源化

洪水是水资源的重要组成部分，中国从总体上讲是一个水资源严重短缺的国家，并且在时间和空间的分布上存在不均衡性。国情决定了我们必须在保证防洪安全的前提下，想方设法利用洪水资源。要将洪水资源化列为防汛工作中的一项重要任务。但是利用洪水资源必须慎重决策，必须尊重科学，决不能以牺牲防洪安全为代价。

5.3.3 关键内容

洪水管理战略包含了五项关键内容：体制基础、规划、洪水危险性管理、可能受灾对象管理以及易损性管理。图 5.2 给出了这五个关键部分之间的相互关联及各个部分在整个战略中的地位。中国目前已经开展了其中大部分行动或措施，并取得了不同程度的效果,但在土地利用管理与建筑耐淹规范等方面还相当薄弱。

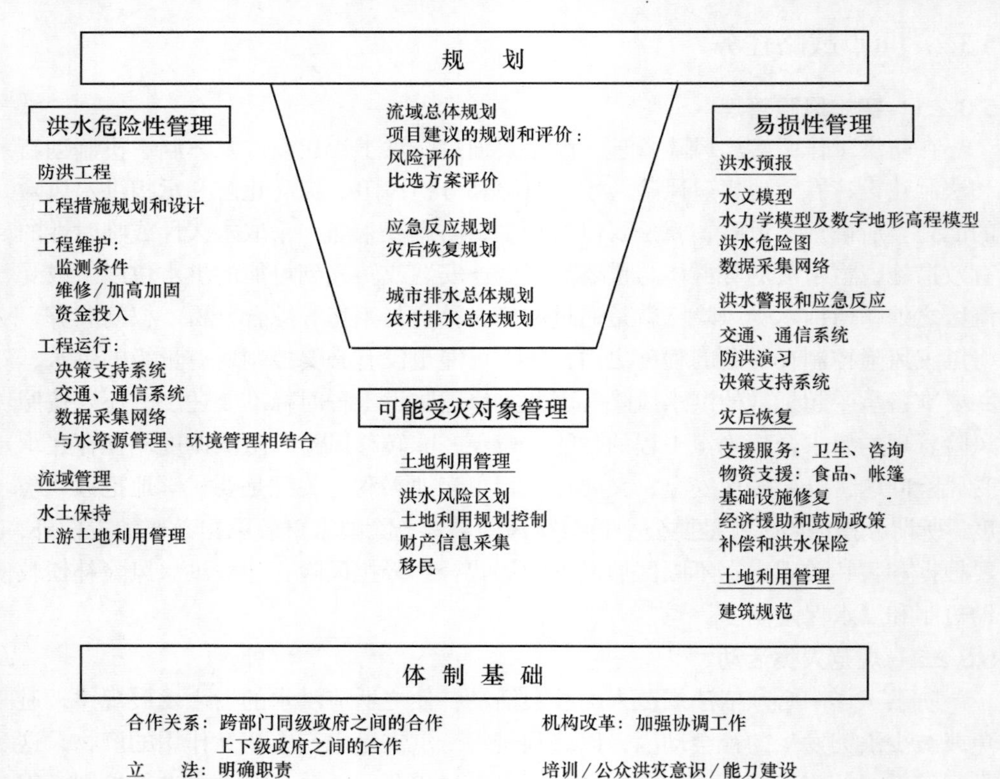

图 5.2　洪水管理战略框架

就体制基础而言，中国长期的实践表明，有些制度是行之有效的，如防汛行政首长负责制、应急管理体制，等等，与国外相比，具有鲜明的特色。但同时也存在着许多的约束条件，其中重要之一就是现行法律与行政体制中有一些与洪水管理要求不适宜的地方，实施洪水管理战略要求逐步改进和完善相关法律和体制，进一步从法律和体制上明确相关部门的作用、职责和协调机制，进行机构改革，增强部门间的协调，加强能力建设，形成稳定有序的资金保障，培训公众洪灾意识，等等。

规划在洪水管理中具有特别重要的意义。规划工作形成程序化的工作流程亦是洪水管理战略的重要目的。洪水管理规划必须从整个流域着眼，除现有规划内容之外，应当更加重视：①支流的洪水管理；②受防洪工程保护但仍有剩余风险的地区(尤其是城市)；③内涝的治理；④流域管理，如水土保持和植树造林等可能涵养水土、减少侵蚀并改变洪水危险性的活动等。规划时，应将洪水管理和内涝的总体规划理念扩展到子流域以及受到内涝影响的地区。

洪水管理的实质是对洪水风险进行管理，而洪水风险产生于洪水危险性、可能受灾对象及其易损性三个方面。实现这三个方面的科学管理，包括各个方面的具体管理以及三个方面的综合与平衡。

对于洪水危险性的管理，主要采取的是工程措施，应当建立标准适度、功能合理、安全可靠的工程体系。工程体系标准要适度，流域级的工程体系一定要协调，综合考虑整个流域的情况。

对可能受灾对象的管理，一般是对洪水风险区的开发利用进行管理，使开发类型和土地利用与洪水风险相适应。一般而言，不合理的开发主要是由过去的土地利用决策造成的。虽然可以采取措施来弥补过去不合理开发对洪水管理的影响，但土地利用规划在限制未来开发以及限制洪水可能受灾对象增加方面是最为有效的。中国人多地少，人水争地，目前又处于高速发展时期，很多受洪水威胁的地方还会继续开发。因此，抓住当前的时机，做好土地利用规划对于洪水管理工作具有重要的战略意义。

对可能受灾对象易损性的管理，涉及到建筑规范、洪水预警报、应急反应系统、灾后恢复、公众洪水风险意识、洪水保险等手段。

5.4 推进向洪水管理转变的五大战略措施

为了实现从控制洪水向洪水管理的战略转变，不仅需要观念的更新，而且需要更为健全的管理体制与运行机制、更为完善的工程体系、更为先进的科学技术、更为可靠的投资保障和更为广泛的社会基础。为此，需要采取五项重大战略措施来推进向洪水管理的战略转变，即实施体制机制创新战略、基础建设先行战略、科技进步支持战略、资金投入保障战略与减灾社会化战略。五大战略措施相互依托，支撑起中国洪水管理的战略框架。由于“从控制洪水向洪水管理的转变”与

"从单一抗旱向全面抗旱转变"之间具有密不可分的联系，因此五大战略措施对于后者也是同样适宜的。以下探讨涉及共性问题时，将不刻意加以区分。

5.4.1 体制机制创新战略

中国在长期计划经济体制下建立了强有力的防汛工作体制，但主要是通过行政手段来指挥和部署汛期的防汛工作。随着社会主义市场经济体制的建立，单纯依靠行政手段组织协调的难度越来越大。只有通过体制机制的创新，才能适应新时期中国经济社会发展对防汛工作的新要求。

体制机制创新战略，即通过完善与"两个转变"相关的法规体系，进一步健全中国现行防汛抗旱工作体制，进一步明确和规范各级行政首长和相关政府部门在防汛抗旱工作中的管理权限、职责、任务和分工，健全工作评价和责任追究制度；推动洪泛区、蓄滞洪区、河道、防洪规划保留区中土地利用和建筑标准的管理，规范经济社会发展的各项活动，强化部门间的协调机制；规范汛期的工程抢险、防洪调度、救灾救助、防洪补偿、物资调运、宣传动员、灾害评价等行为，明确各类突发事件的处理工作程序，增强各级应急预案的可操作性；对已经正式实施的法律法规，要加强执法检查，维护法律的权威性和严肃性；建立有效的社会管理和经济调节机制，完善社会保障体系，形成完备而确有约束力的法规、合理的灾害救助补偿办法、适当的经济调节手段等；建立洪水风险补偿救助机制和洪水保险制度，根据利害相关因素在不同区域以不同形式合理分担风险，要建立公众参与机制、信息反馈机制与双向调控机制，保证决策的科学化，及时纠正实施过程中的偏差。

法规体系的建设，需要从法律、行政法规、部门规章和技术标准四个层次上，抓紧制定立法和制度建设的计划。例如，建立洪水风险公示制度，增强全社会的风险意识；建立洪水影响评价制度，规范人类活动；进一步规范台风和山洪灾害的防御工作，减少人员的伤亡；对于防洪法中已经明确规定的配套法规，如"国家鼓励扶持洪水保险"，需要制定出切实可行的实施办法；对于已经出台的法规，如《蓄滞洪区运用补偿暂行办法》，也需要根据实施中暴露的问题及时修订。

近年来，中国已经大力加强了政策法规和制度方面的建设，修订了《防汛条例》，制定了《国家防汛抗旱总指挥部工作制度》和《国家防汛抗旱总指挥部成员单位职责》，对《各级地方人民政府行政首长防汛抗旱职责》进行了补充修订；组织制定了《防洪减灾经济效益计算办法》、《中央级防汛物资储备及其经费管理办法》、《防汛储备物资验收标准》等一系列工作制度和规章；组织制定了《国家防汛抗旱应急预案》，并起草了《防汛抗旱责任追究制度》、《永定河防御洪水方案》、《永定河洪水调度方案》、《松花江洪水调度应急方案》和《2004 年三峡防洪调度应急预案》，对其他流域的调度方案也进行了调整。但是在机制创新方面，进展仍显得不足。体制机制创新战略的实施，将为实现向洪水管理的战略转变提供根本的保障。

5.4.2 基础建设先行战略

人类的治水活动如果按三个阶段划分的话，早先人口稀少、生产力水平低下，是人适应水的阶段；其次，随着人口增长，人与水争地需求压力增大，是要求水适应人的阶段；再后，生产力水平与社会管理水平高度发达，进入追求人与自然和谐相处的阶段。中国目前整体上仍处于第二个阶段，防洪工程体系还不完善，调控洪水的能力不足，安全可靠性差，是在经济社会快速发展情况下与防洪安全保障需求不相适应的主要表现。同时，与实施洪水风险管理密切相关的大量基础信息，缺失、散乱、不真实的现象十分普遍，成为推进洪水管理的一大“瓶颈”。

基础建设先行战略，即将统筹兼顾，建设标准适度、功能合理、安全可靠的防洪工程体系和建立完备、连续、可靠的信息管理体系，作为防洪减灾优先选择的对策；抓住当前中国基础设施建设的黄金时期，运用综合手段，积极推进有利于整体与长远利益的防洪工程体系建设；在经济快速发展，城市化进程加速的阶段，坚决纠正盲目发展，大灾之后才有大治的做法，尤其对于新的开发区，务必要走防洪、排涝基础设施建设先行的道路；要通过完善、配套与科学调度，充分发挥防洪工程体系的综合效益。坚决打破信息不共享的壁垒，满足实施洪水风险管理对完备、连续、可靠的基础信息的渴求。

未来 30 年中，中国人口将从目前的 13 亿增长到 15 亿 ~ 16 亿，人口的城市化率将从目前的 40%提高到 50%~60%，粮食需求与土地需求的压力将进一步增大，在受洪水威胁的区域中，人口、资产密度将进一步提高，土地利用方式与产业结构的调整是不可避免的事情。这种情况下，采取适度标准的工程保护措施是防洪减灾的可行策略，因为在防洪工程保护区中，多一口人或多一份资产，就多一份减灾效益；而单纯依赖其他措施，多一口人或多一份资产就意味着多一份负担。

特别值得注意的是，目前中国人口年龄结构中，20 ~ 49 岁年龄组所占比例最大，其中相当大部分是农村剩余劳动力。而 2030 年之后，中国 50 岁以上人口所占的比例将上升到第一位。届时中国已进入严重的老龄化社会，国家的税收将重点转向福利社会的建设。因此，当前是中国基础设施建设的黄金时期。作为国民经济基础设施建设首位的水利工程建设，如果不能抓住这个机遇，或者因为种种干扰而贻误战机，则必将陷入“时不再来”的窘境。

防洪工程体系的建设，是社会公益性事业，各级政府应为投资的主体。如果政府以发展的积累投入于防洪工程体系的建设，则难以摆脱“大灾之后才有大治”的模式。那时，由于开发，地价已经上涨，征地更为困难，拆迁量倍增，防洪工程建设将付出更大的代价。只有实施基础设施建设先行的战略，才能最大限度地满足防洪安全保障的需求，尤其在城市扩张的规划新区中，才可能在其后的土地增值和税务增收中，较快收回建设的成本。同时，才有必要的空间来更好地处理局部与整体，眼前与长远，防洪与资源利用、环境保护之间的关系。

5.4.3　科技进步支持战略

在经济快速发展与社会转型时期，治水这一古老的问题正在变得更为严峻与复杂。防汛形势的变化与水资源短缺、水环境恶化、水土流失加剧等问题交织在一起，使得现行有效的防汛手段面临一系列新的挑战。而作为发展中国家，大规模的治水活动受经济、技术、观念、体制等因素的制约更为苛刻，中国的防汛工作将面临一系列两难的抉择。向洪水管理转变，意味着防汛工作领域的拓展和工作要求的提高，迫使我们从社会、经济、生态、环境、人口、资源开发和国土安全等更加广阔的视野上深入探讨防汛减灾与支撑可持续发展的问题。要适应新形势，实现“两个转变”，健全与经济社会发展需求相适应的防洪抗旱安全保障体系，健全与经济社会发展需求相适应的防洪安全保障体系，必然需要依赖科技与管理的进步克服一系列难点、焦点和阻碍发展的“瓶颈”性问题。

科技进步支持战略，即紧密围绕实施“两个转变”的新要求，遵循科学发展观，贯彻治水新思路，采取不同学科背景的科学家、工程技术人员与各级管理者密切合作的模式，综合运用自然科学与社会经济科学中多学科的相关成果，并加强防洪抗旱减灾领域自身的学科建设，从灾害学、防灾学与防灾技术三个层次，为建设与社会经济发展需求相适应的防洪抗旱减灾体系，全面提供基础理论、应用科学与实用技术的支撑，指导我们重构人与自然的和谐，使新时期的治水活动既遵循自然界的演变规律，又顺应社会经济的发展规律。

防洪抗旱减灾领域的科技发展涉及灾害学、防灾学与防灾技术三个层次。灾害学的研究，以基础科学研究为主，也涉及到应用科学，并需要应用技术的支持；防灾学的研究，以应用科学为主，需要基础科学的指导与应用技术的支持；应用技术的发展，则依托于基础科学与应用科学的进步。

在灾害学方面，要加强研究水旱灾害时空分布与演变的规律，水旱灾害孕育、发生、与人类社会交互作用的机理及其可能诱发的灾害系列，水旱灾害的分级标准及影响评价，水旱灾害风险分析与区划的理论与方法，水旱灾害的信息管理学，水旱灾害的后评估理论与方法等。

在防灾学方面，要加强研究与社会经济发展需求相适应的减轻水旱灾害的完整体系、管理模式、运作机制、治水方略，因地制宜制定灾前、灾中、灾后相应防灾减灾各环节的适宜的对策措施，以及有关防洪抗旱减灾的法规政策等。

在防灾技术方面，要研究实现除害兴利、增强人类理性调控洪水与增强自身适应灾害能力的新技术、新设备、新材料、新工艺及其适用条件等。其中，洪水与干旱监测、预报、预警、调度、灾情评估、影响评价，防洪工程体系的隐患监测、安全评价、除险加固，以及信息处理、风险分析、情景分析与决策支持等方面是高新技术运用、发展十分活跃的领域。

需要特别指出的是，过去为了建设防洪工程体系，我们建立了众多水利科研院校，培养了一大批水利工程建设与江河治理的工程师与专家。今天，大学教育如何培养推进“两个转变”所需要的专门人才，在职干部如何通过培训更新观念与知识结构，掌握相关的新技术，也是值得高度重视的问题。

目前，从防汛抗旱的实际出发，应把防汛抗旱指挥系统建设作为实现防汛抗旱指挥决策现代化的重要支撑，作为培养防汛抗旱高级人才的重要平台，重点引进更新防汛抗旱实用技术，实现气象、水文监测预报现代化，实现防汛抗旱基础信息的数字化与信息资源的共享，做到信息准确、反映灵敏、传输迅捷，提高防汛抗旱调度决策科学化水平；要从实际出发，制定水旱灾害评价指标体系，利用先进的技术对水旱灾害的影响进行科学的评价，以信息化推动防汛抗旱指挥调度决策的现代化。

5.4.4 资金投入保障战略

防洪减灾作为社会公益性事业，需以政府为投资的主体。现代水利中，由于治水规模的扩大和考虑因素的复杂多样化，治水的投资需求也越来越大。在传统水利中，对于水利工程的建设已经形成了一整套投资预算的标准与审批的办法。但是，向洪水管理的转变，要求更多地采用非工程手段，要求依法规范人的行为，要求以信息化带动水利现代化，要求为总体利益最大化而受损的区域提供风险补偿，要求采用更有成效的风险分担模式等，如果没有可靠的投资保障，这些转变就有沦为空谈的可能性。防洪安全保障体系建设的艰巨性，决定了治水计划的长期性，而缺乏稳定的投资保障，是水利规划难以科学化的主要病源之一。

资金投入保障战略，即以立法的形式，确定水利投资占国家基础设施建设资金的比例和防洪投资占水利投资的比例，明确各级政府分级负担的责任，保证防洪投资能够随国民经济的发展而增长，彻底摒弃“大灾之后才有大治”的不稳定的投资模式；为防汛指挥系统建设、洪水风险图制作与更新等非工程措施的实施设立稳定的投资渠道和投资核算标准；为重大应急预案的启动设立专项基金并明确基金的启用程序和管理办法；为实施风险分担与风险补偿政策建立适宜的资金保障模式。随着市场经济体制的健全，运用市场机制，探索良性循环的发展模式。

在向洪水管理的转变中，防洪工程体系的科学调度运用，不仅将更好地发挥防洪减灾的作用，而且将发挥洪水资源化与水环境保护等综合的效益，也可能从土地增值与财税增收中获得收益。根据这一特点，可以通过改革资金筹集与使用管理模式，力争形成良性循环的投入机制；信息化建设中，也可以通过增强向全社会的信息有偿共享服务，获得维持自身良性运转的动力。

5.4.5 减灾社会化战略

随着社会主义市场经济体系的不断完善，社会组织、人员结构、管理模式等都发生了深刻变化，抗御水旱灾害越来越需要全社会的广泛参与，共同承担防洪抗旱的责任和风险。实现防汛抗旱工作的“两个转变”，不单是水利部门的事情，也不单是防汛抗旱办事机构的事情，而是涉及到全社会的方方面面，是一项系统性、社会性和政策性极强的工作。需要依法明确和细化社会各部门的防汛抗旱责任，做到统一指挥、各负其责；需要规范人类社会活动，增强风险意识。

减灾社会化战略，即提高全社会的水灾风险意识与承受洪水风险的能力，明确和落实政府及各部门、社会各行业承担的防汛抗旱责任，在加强政府社会管理、公共服务职责的同时，整合利用社会资源，进行全民的防灾训练，使群众了解所在区域的洪水风险，熟悉各种情况下的防灾预案，面对突发性水灾事件，能够正确采取自保互救的措施，增强全社会应对灾害的能力和信心；发扬一方有难八方支援的优良传统，充分发挥非政府组织在防灾、救灾与灾后恢复重建中的作用；鼓励利害相关者与公众参与，充分发挥舆论的监督作用；要建立有效的防洪社会保障体系，尤其要鼓励、扶持开展水灾保险研究，通过保险手段实现风险共担，增强公众抗御水灾的能力。对各级防汛部门来说，特别要加强防汛抢险队伍的组织建设，加强管理和培训，加大技术与设备的投入，确保在抗御洪水灾害时能够召之即来、来之能战、战之能胜。

5.5 洪水管理战略的运作模式与推进机制

中国的洪水管理战略旨在建立和谐社会，追求整体与长远的利益最大化，支撑可持续的发展。一般来说，系统中每个局部的利益最大化时，系统的总体利益也可能达到最大化。但是洪水不同，如果一个局部在防洪问题上达到了利益最大化，则往往意味着风险的转移；如果在防洪问题上达到了利益最大化，则很可能就意味着洪水在水资源、水环境等方面的效益难以发挥。因此，洪水风险管理的运作模式与推进机制，就成为十分重要的问题。

5.5.1 “风险分担、利益共享”的运作模式

洪水的风险管理要采取“风险分担、利益共享”的运作模式。所谓“风险分担”，是相对于“确保安全”而言的。无论是将洪水全部拦蓄起来，确保“供水安全”，还是处处严防死守，确保“防洪安全”，都不利于洪水资源化的实现。水少

时，该放的水要放下来；水多时，该淹的地要淹得起。对由此而难以避免的损失，可通过“风险分担”的模式使其降低到可承受的限度之内。所谓“利益共享”，是相对于“不顾他人或生态系统的治水需求”而言的。尤其在今天，水资源短缺、水环境恶化日趋严重，洪水资源化是缓解这一矛盾的必不可少的途径。但任何局部区域或部门在治水中如果一味追求自身利益最大化，都可能危及他人或以牺牲生态与环境为代价。只有通过洪水的风险管理，按照“风险分担、利益共享”的原则统筹江河流域上下游、左右岸、干支流、城乡间基于洪水风险的利害关系，洪水的资源化才能达到保障可持续发展、协调人与自然关系的目的。

5.5.2　“双向调控、把握适度”的推进机制

推进洪水管理，要采取“双向调控、把握适度”的机制。20 世纪中，人类治水活动的根本教训之一，是懂得了治水必须要因地制宜，把握适度。无论怎样好的治水措施，怎样先进的治水理念，一旦实施过了头，效果都会走向反面。不同区域的河流，洪水特性有着明显的不同。同一区域的河流，处于社会经济的不同发展阶段，治水的目标、要求与能力还有很大的差别。因此，治水的方略不可能千篇一律。过去，为了推动一项治水措施，往往会出台一系列单向的鼓励政策，不仅在不适宜的地方导致失败，即使在适宜的地方，也可能引出社会、经济、生态、环境方面的某些负面影响。既然洪水管理成败的关键在于把握适度，这就要求我们的政策必须具有“双向调控”的特点。

从“单向推动”转为“双向调控”，首先从观念上，必须克服单向追求的习性。洪水管理应该摆脱单向的或粗线条的模式，例如“将所有的人都迁移出洪泛区”，或“让所有的河流都渠道化”，或“水库库容越大越好”等。统筹兼顾，因地制宜，有更多的公众参与，是求得良好平衡的关键；其次，从传媒上，必须保障言路的畅通。无论怎样英明的决策者，如果只能获得正反馈的信息，其决策将难以摆脱“单向推动”的轨道。之所以说，“有更多的公众参与，是求得良好平衡的关键”，就是因为，适度行为的受害者，恰恰是实现“双向调控”的最有力的支持者。再者，从投入上，应该形成双向诱导的机制。以法制的程序规定投资的比例，在地方与中央的投入关系中引入保险的机制，健全评价制度，多“得”需以多“交”为代价，多“要”则可能被亮出“风险大、投资环境差”的黄牌等，这样将有利于达到“双向调控”的目的。但是，对于贫困地区来说，应有适宜的倾斜性政策。

5.6　本章小结

在分析国际社会洪水管理实践的经验教训，以及分析中国推进洪水管理战略的基础和条件之后，本章提出了中国洪水管理战略框架，是报告的核心内容。首

先，从健全中国公共安全保障体系、执政能力以及治水新思路和保障水安全等方面阐述了洪水管理战略在中国的战略地位与作用，以及制定战略框架的指导思想、基本原则和战略目标。

在此基础上，提出了中国洪水管理战略框架的核心内容，包括总体战略、三项重点战略任务、五项关键内容、五项战略措施，以及运作模式与推进机制。

总体战略：实施有风险的洪水管理模式，工程与非工程措施有机结合，健全水灾应急管理体制，适度承受风险，支撑全面、协调、可持续的发展。

三项重点战略任务：①实施风险管理；②调整人类活动；③实现洪水资源化。

五项关键内容：①法律与体制基础；②洪水管理规划管理；③洪水危险性管理；④可能受灾对象管理；⑤易损性管理。

五项战略措施：①体制机制创新战略；②基础建设先行战略；③科技进步支持战略；④资金投入保障战略；⑤减灾社会化战略。

运作模式：风险分担、利益共享。

推进机制：双向调控、把握适度。

6 中国洪水管理战略行动计划

为了推进前章所述的中国洪水管理战略框架，需要制定详细的行动计划，包括目标的选择、政策法规的完善、行政管理手段的更新、综合规划的制定、资金投入的保障、关键技术的研究、全民洪水管理意识的提高，等等。实现战略框架的目标任重而道远，关键是行动计划的适宜性及可达性能否得到广泛的认同。根据中国国情，应当分阶段逐步减小制约条件的约束作用，本章描述了实现洪水管理战略目标的行动计划。

6.1 行动计划主要内容

6.1.1 健全洪水管理的法律法规体系

(1)修订一系列现有的法律法规文件，如《防洪法》、《防洪标准》等，使之能够全面反映洪水管理理念，促进洪水管理措施的落实，体现洪水风险管理方法，形成以风险管理理论为指导的中国洪水管理的法律法规体系。

(2)制定洪水风险区相关规划中的洪水风险问题处理导则，促进各级水行政主管部门参与对土地使用、城市发展、工业发展以及其他公共基础设施发展规划方案的防洪风险影响评价与技术指导，完善审批制度。

6.1.2 完善洪水管理的行政管理机制

(1)按洪水管理战略框架，调整各级水行政主管部门及流域机构的职能范围：

● 充分体现以流域为基本单元的洪水管理特点，包括流域内可能受到不同类型洪水灾害影响的所有地区。

● 体现洪涝灾害综合管理特性，有效发挥国家防汛抗旱总指挥部与水行政主管部门的协调功能。

(2)将洪水管理的技术内容纳入行政管理的范畴，保证管理决策者在制定洪涝灾害管理规划与相关城市及地方政府行为之间的一致性、科学性。

(3)依据法律法规的规定，为城市及地方政府确定洪水管理的具体职权范围，使地方洪涝综合规划与相关区域或流域防洪规划保持一致。

6.1.3 推行洪水管理综合规划

(1)在进行相关战略选择时，规划阶段就要充分考虑到各个方面的利益相关者，建立规划阶段的协商机制。

(2)在《防洪法》、《土地管理法》等相关法律框架下，洪水管理规划要与土地利用规划紧密结合，明确土地利用规划与洪水管理规划的良好衔接机制，明确主管机构的责任，将监督、实施、后期评估贯穿于防洪管理规划阶段的全过程，使与洪水风险要素相关的土地使用和经济开发活动和洪水管理紧密结合起来。

(3)在适当的法律框架下，洪水管理要与国家基础设施建设的风险管理相结合，明确基础设施建设管理机构在洪水风险管理方面的责任，落实规划、监督、评估机制，相机在建筑法规的制定中引入洪水风险要素控制准则。

(4)全面审核国家其他行业规划中洪水管理的相关法规适宜性和改善措施(例如交通运输、文教卫生、能源开发、农业区划、工业体系建设、国防等)。

6.1.4 形成有效的灾害管理机制

(1)完善的灾前准备是有效减灾的先决条件，应健全应急管理体系和备灾机制。

(2)制定灾害发生后的一系列紧急救援救助、卫生食品发放、传染病预防、风险人群和重要财产疏散撤离方案，重点关注特殊环境条件下的可操作性。

(3)从组织管理、资金运作、技术准备等几个方面建立灾后恢复与重建机制。

(4)加强和健全洪水管理的社会保障体系。

6.2 近期重点任务

6.2.1 法律法规的修订

(1)全面分析中国洪水管理的特点，按照洪水管理战略框架，重点突出风险管理、综合管理的现代洪水管理理念，分析中国现行洪水管理相关法律体系的主要问题，为全面修订中国现行防洪管理有关法律文件做好准备。

(2)根据洪水管理工作的实际需要，按照中国现行法律框架，将适应中国国情的洪水管理理念引入相关法规体系，从法律、行政法规、部门规章和技术标准四个层次上，制定立法和制度建设的总体规划，要通过修订或制定《防汛条例》、《洪水影响评价管理办法》、《蓄滞洪区管理条例》等洪水管理法规，进一步明确和规范各级行政首长和相关政府部门在洪水管理工作中的管理权限、职能、责任、任务和分工，建立工作评价和责任追究制度。通过法律法规建设，推动洪泛区、蓄滞洪区、河道和防洪规划保留区的管理，规范经济社会发展的各项活动；规范汛期的工程抢险、防洪调度、救灾救助、防洪补偿、物资调运、宣传动员、灾害评价等行为，明确各类突发事件的处理工作程序；进一步规范台风和山洪灾害的防御工作。

(3)适时修订《防洪法》:

- 进一步明确洪水管理的协调机制，加强中央、地方和各行政管理部门之间在洪水管理行动中的沟通与协调，将国家防汛抗旱总指挥部的职能按照洪水管理的需求加以扩展是可行的选择之一；
- 将“防洪规划”扩展为“洪水管理规划”，其中不仅包括以往关注的调控洪水的规划，还包括推进防洪区土地合理利用措施的规划以及增强减灾能力建设(减少脆弱性)的规划，并在洪水风险评价的基础上确定有关规划的措施；
- 将治涝规划和山洪管理规划纳入洪水管理规划之中；
- 将洪水影响评价制度由洪泛区、蓄滞洪区向整个防洪区推广，由建设项目向与土地利用相关的规划推广；
- 明确规定每 10 年进行一次全国性的堤防安全评价工作，以保证防洪工程体系正常发挥其作用；
- 进一步明确防洪区土地分区管理的原则、各级政府的职责和管理措施；
- 增加有关洪水资源化利用的条款；
- 在“保障措施”中，进一步明确洪水管理资金的来源，明确中央和地方的洪水管理投入的原则，明确洪水管理基金在水利建设基金中的比例；
- 为体现由控制洪水向洪水管理转变的思想，可考虑将《防洪法》改名为《洪水管理法》。

(4)完善《土地管理法》和《城市规划法》:

- 将现《土地管理法》中“在江河、湖泊、水库的管理和保护范围以及蓄洪滞洪区内，土地利用应当符合江河、湖泊综合治理和开发利用规划，符合河道、湖泊行洪、蓄洪和输水的要求”的内容进一步扩展，规定在防洪保护区内的土地利用应当根据修订的《防洪法》开展与洪水风险特征相适应的土地利用规划和开发利用；
- 在现《城市规划法》中，进一步明确城市防洪治涝规划在城市总体发展规划中的地位，明确采取城市防洪治涝措施的原则。

(5)完善与健全有关规章制度：

- 按照《防洪法》的要求，建立洪水影响评价制度，制定蓄滞洪区管理办法，制定洪水保险办法；
- 修订《蓄滞洪区运用补偿暂行办法》，将现行的农作物按品种分类补偿，改为以耕地面积为主要指标简化补偿程序；

● 按照《防洪法》的要求，制定鼓励洪泛区、滩区、蓄滞洪区等洪水高风险区居民外迁的政策。该政策应改变现行集中、大规模、强制性的方式，代之以在自愿的基础上，通过经济激励手段，鼓励划定区域内的居民外迁；

● 在《防洪法》的保证之下，制定相应的条例或规章制度，提出结构化的方法，进行堤防工程的安全评价，包括堤防注册登记、分类、安全标准、安全评价及评价报告和加固建议；

● 制定洪水风险区划规范，支撑防洪区的分区管理；

● 建立洪水风险公示制度；

● 制定洪水资源化管理办法；

● 在有关建筑物设计规范中增加考虑洪水风险的条款；

● 制定城市治涝设施设计规范；

● 根据《物权法》，制定《防洪用地管理办法》，明确划定防洪用地的范围，确立管理主体，对其保护、开发、利用方式进行规范。

6.2.2 洪水管理的科学规划

(1)从管理体制上确立洪水管理规划的大纲制定，规划方法、规划内容的执行与监督、落实，建立规划执行情况的后评估机制。

(2)建立洪水管理规划系统，提出指导土地使用、城市发展、工业发展以及包括交通在内的公共基础设施方案的规划的洪水管理技术导则。

(3)逐步建立流域层次的洪水管理规划委员会，主持制定本行业及其他行业中洪水管理规定细则(确认相关行业的洪水风险要素、风险评价准则、适宜防洪标准的确定和降低洪水风险的有效措施)，充分考虑其他相关行业洪水规划的价值取向及目标，在宏观层次的各方面为区域洪水管理提供可操作的统一调度指南。

(4)建立其他各级行政管理范畴的洪水管理规划委员会，协调相应层面的洪水管理规划程序，为不同行业制定统一标准的区域洪水管理规划导则，形成大流域与子流域(河段或支流分支流域)之间规划的紧密协同关系。

(5)克服不同数据收集管理者的数据不共享问题。洪水管理机构在制定洪水管理规划时应该能够及时得到相关信息。

(6)引入结构化规划方法，制定《洪水管理规划编制导则》。

(7)修订《防洪标准》，引入洪水风险评价的内容，使其与结构化规划方法相一致。

(8)明确洪水管理规划编制的组织形式、编制主体、决策程序和有关机构及利益相关者参与的机制。

(9)根据《洪水管理规划编制导则》，采用结构化规划方法，顺次编制流域、区域、城市、山区、蓄滞洪区的洪水(包括河道洪水和内涝)管理规划。

(10)针对山洪、溃坝洪水、决堤洪水、城市暴雨等突发洪水类型，制定应急管理方案。

(11)制定洪水资源化利用规划。

6.2.3 建立与洪水管理相适应的组织体系

行政管理是实施依法治水的重要手段。对已经正式实施的法律法规，要建立必要的行政执法机构，加强执法检查，维护法律的权威性和严肃性。

(1)在法律框架下，扩大国家防汛抗旱总指挥部的职责范围，使之在全国洪水综合规划方面、在协调部门之间的洪水管理问题方面发挥更大的作用。

(2)通过修订相关法律框架，提高流域水利管理委员会的行政地位，增设与洪水管理相关部门的委员，加强其在流域综合规划与管理方面的协调、监督作用，发布和监督实施区域发展中与洪水管理相关的地方管理规范和技术导则。

(3)明确堤防安全管理的相关机构，这些机构可以是代表中央政府的流域水利委员会、省水利厅、城市水务局和地方水利局。其职责是进行堤防工程的管理和维护、保证洪水期防洪工程的安全运行、进行定期安全评价、提出工程加固建议。

(4)加强不同行业相关行政管理机构在洪水管理方面的能力建设。从洪水风险管理的基本观念出发，对水利部以外承担洪水管理相关职能的其他行政管理机构开展能力建设，例如与洪水风险要素相关的土地利用规划管理与建筑物防洪标准的管理等。

6.2.4 洪水管理的科学方法与手段

(1)继续加强防洪工程体系建设。防洪工程是洪水管理的基础，在防洪减灾中发挥着重要作用。中国现在的防洪工程体系仍然不够完善，特别是区域发展不平衡，今后一个时期仍然需要花大力气加强防洪工程体系建设。关键是要在“合理评价风险，建立适度防洪标准”上下工夫。

(2)建立防洪工程体系综合评价指标与准则。结合中国区域发展阶段目标，从社会经济发展水平的综合需求出发，以发挥工程综合效益为目标，客观科学地建立“标准适度”、“布局合理”的防洪工程体系的量化评价指标，建立防洪工程体系的综合评价准则。

(3)科学构架结构化规划方法。系统分析中国现阶段规划方法存在的问题，从洪水管理角度规范系统规划程序，包括情景分析、问题分析、可行性分析、措施分析、影响分析、投入产出对比分析等，提高洪水管理规划的科学性、可行性。

(4)全面开展流域层次的洪水管理综合评价。按照区域特点确定适度防洪工程标准及合理确定防洪工程的功能，划分洪水风险等级，建立合理承担洪水风险的模式。

(5)全面开展洪水风险图的制作。研究洪水风险的区域分布规律，提出适合中国国情的风险等级评价规则，明确满足不同使用需求的必备信息与适宜的表现方式，完成风险图的制作，为洪水管理提供基本的依据。

(6)持续推进防汛指挥系统的建设。在信息管理系统建设的基础上，加大决策支持系统的开发力度，增强系统预测、预报、预警以及预案生成与评价的功能。用洪水管理的理念指导系统功能的扩展与应用，使系统成为科学制定分级应急响应预案、实施洪水影响评价、推进洪水风险管理与洪水资源化的有力工具。

(7)加强堤防工程的安全管理。加强防洪工程安全管理的监管并研究开发相应的技术支持手段；组织修编安全评价导则，每10年进行一次堤防系统的调查评价工作。

6.2.5　推进洪水管理的保障措施

6.2.5.1　建立长期稳定的投入保障机制

(1)稳定的资金保障是实施洪水管理战略的基本条件。按照洪水管理的公益事业属性，结合社会主义市场经济的特点，从国家财政分级负担、企业社会多种渠道建立起良性循环的资金投入机制，长期稳定保障洪水管理战略的实施。

(2)针对中国不同类型防洪工程长期运行的特征和维护周期，建立防洪工程维护资金长期稳定的投入规模和投入机制，为中国防洪工程的建设、管理、运行探讨一条良性循环之路。

6.2.5.2　建立完善的洪水管理技术导则体系

(1)形成防洪工程体系安全标准的适应性评价制度，提出“适度”的技术判别准则。

(2)建立区域土地利用与防洪标准适应性的评价准则，包括：

- 洪泛区，包括山洪风险区土地的合理利用；
- 蓄滞洪区土地的合理利用；
- 防洪保护区土地的合理利用。

(3)按照洪水管理理念，建立合理的防洪工程管理维护制度。

(4)制定洪水应急管理预案编制导则。

(5)推进在保证防洪安全条件下的洪水资源利用与合理配置，制定洪水资源利用导则。

(6)制定洪水影响评价导则。

(7)制定洪水风险评价与洪水风险图制作技术指导手册。

(8)就洪水管理规划的基本原则、规划的内容、制定的方法提出规范指导意见。

6.2.5.3　开展洪水管理的理论与技术研究

(1)进一步研究并逐步完善洪水管理理论体系，以指导洪水管理实践。

(2)全面分析对比国内外成功的洪水保险经验，选择适宜的地区，以洪水风险管理的理念为依据开展适应中国国情的洪水保险试点研究，提出可以操作的全国洪水保险模式。

(3)就气候变化对洪水水文造成的影响开展研究，对洪水特性及风暴潮特性在全球变暖的形势下所发生的变化形成更加有效的量化评估。

(4)工程安全隐患的快速预警是有效减灾的重要途径。研究工程安全隐患快速探测方法，建立工程数据畅通的传输通道，为工程风险的快速预警和有效抢险救灾提供强有力的工具。

(5)研究适应中国防洪决策特点的决策支持系统，包括模型构成、数据库、方法及要素等方面，以及多目标系统分析技术。在建立决策支持系统时充分考虑目标的可达性和项目设计目标的一致性。

(6)开展提高工程效率、充分利用洪水资源的模式研究。结合中国不同地区的洪水管理目标、水资源利用目标、水质量管理目标，综合发挥防洪工程作用与较广泛的水资源管理目标相结合开展研究。

(7)全面分析中国现行流域洪水管理特征，试点研究以流域为单位的备灾、救灾、减灾，灾后恢复的综合管理框架，研究工程风险管理的基本模式。

(8)以洪水管理理论为依据，全面分析评价中国现行防洪规划的理念、指导原则、方法等，制定新的防洪规划编制大纲。

(9)全面分析中国目前土地利用模式，分析与当前洪水管理理念的适应性，提出中国土地利用与开发规划中合理考虑洪水风险的基本原则和技术导则。

(10)数据共享是洪水管理的基本要求，研究中国实施数据共享存在的主要约束条件和解决方案，建立高效的数据共享机制。

(11)全面分析中国防洪工程的现行运行机制，探讨综合发挥工程效率，在保安全、要效益方面的综合方案。

(12)全面评价中国现有洪水灾害应急反应机制，建立健全不同灾种、不同区域的应急反应预案。

(13)开展一系列相关管理政策的研究，包括洪水风险补偿政策、洪水资源利用的风险分担办法等。

6.2.5.4 洪水管理的培训与能力建设

(1)编写洪水管理培训教材，按照不同层次、不同地区的需要，进行系统的洪水管理宣传教育，尤其是在所有洪水高风险区推进提高洪水风险意识的宣传教育工作。通过系统的培训课程、媒体及网站的宣传提高公众参与程度，增强人们对洪水风险特性的了解，尤其要重视那些容易遭受洪水灾害影响的群体，如新的城市开发区、新建防洪工程周边地区等。

(2)建立各行业部门之间的信息交流机制，全面普及洪水管理的基本理念和实践方法，形成洪水管理的广泛共识。

(3)开展广泛的、不同层次的洪水管理理论培训，提高全民洪水风险意识；组织必要的高级研讨班，使国家及相关部门决策者能够理解现代洪水管理的基本理念、实行洪水管理的必要性、现阶段洪水管理问题的主要约束条件、近期远期目标、需要解决的技术问题等。

(4)组织开展一系列技术研讨会及培训课程，提高各级水行政主管部门，尤其是国家与省级水行政主管部门决策者对洪水管理及风险管理方法的认识。

6.3　本章小结

在洪水管理理念介绍、国际社会洪水管理的经验教训分析与总结、中国洪水管理基础分析以及洪水管理战略框架的基础上，本章给出了行动计划的主要内容及行动计划的近期重点任务。

行动计划主要内容包括：

(1)健全洪水管理的法律法规体系。

(2)完善洪水管理的行政体系。

(3)推行洪水管理综合规划。

(4)形成有效的灾害管理机制。

近期重点任务包括：

(1)法律法规的修订。

(2)进行洪水管理的科学规划。

(3)建立与洪水管理相适应的组织体系。

(4)采用洪水管理的科学方法与手段。

(5)实施推进洪水管理的保障措施。

参 考 文 献

[1] ADRC (2004): *India Country Report*. Asia Disaster Reduction Centre web-site. www.adrc.or.jp/ countryreport/IND/INDeng02/India03.htm

[2] ARMCANZ (2000): *Floodplain Management in Australia. Best Practice, Principles and Guidelines*. Agriculture and Resource Management Council of Australia and New Zealand; Standing Committee on Agriculture and Resource Management, SCARM report 73. CSIRO Publishing, 2000

[3] Barraque, B (2003): *Risk prevention plans in France*. Paper presented at Intl. Workshop on Precautionary Flood Protection in Europe, Bonn, February 2003

[4] Brouwer, R, van Ek, R, Boeters, R & Bouma, J (2001): *Living with Floods: An Integrated Assessment of Land Use* Changes *and Floodplain Restoration as Alternative Flood Protection Measures in the Netherlands*. CSERGE working paper ECM no.01-06, Centre for Social & Economic Research on the Global Environment of the Economic & Social Research Council. www.uea.ac.uk/env/cserge/pub/wp/ecm/ecm 2001_06.pdf

[5] CCICED / WWF (2004): *Promoting Integrated River Basin Management and Restoring China's Living Rivers*. Report by CCICED TaskForce on Integrated River Basin Management. China Council for International Cooperation on Environment & Development (CCICED) and World Wildlife Fund (WWF). Beijing, October 2004. 15 pp

[6] CCR (2004): *Natural Disasters in France* (Les Catastrophes Naturelles en France). Caisse Centrale de Réassurance, September 2004. 31 pp. in French and English

[7] CEC (2004): *Flood risk management. Flood prevention, protection and* mitigation. Communication from the Commission to the Council, the European Parliament, the European Economic & Social Committee and the Committee of the Regions. Commission of the European Communities (CEC), July 2004

[8] Calder, I (2000): *Land Use Impacts on Water Resources*. Background paper no.1, Land-Water Linkages in Rural Watersheds Electronic Workshop, September/October 2000. FAO

[9] Campbell, J (1997): *Before the Next Cataclysm*. Regional Review. Federal Reserve Bank of Boston. www.bos.frb.org/economic/nerr/rr1997/summer/camp973.htm

[10] Cheng, X T (2000): *Flood insurance practice and exploration in China*. Institute of Water Resources & Hydropower Research, Beijing. Presented at 6th Sino-Korean

Annual Meeting in Water Sector, Seoul, June 2000.23 ~ 37 pp

[11] Cheng, X T (2002): *Urban Flood Prediction and Its Risk Analysis in the Coastal Area in China*. Dissertation. August 2002. 188 pp

[12] Cheng, X T (2005): *Changes of flood control situations and adjustments of flood management strategies in China*. Water International, 30 (1):108 ~ 113. Intl Water Resources Assoc., March 2005

[13] Cheng, X T, Wan, H T & Yuan, X M (2003): *Case Study: The Policies and Measures on Flood Disaster Reduction in P R China since 1998*. Report WH-2003-5-005, Institute of Water Resources & Hydropower Research (IWHR), Beijing. September 2003

[14] Crichton, D. 1999. *The Risk Triangle,* 102 ~ 103 pp .in Ingleton, J. (ed.), Natural Disaster Management, Tudor Rose, London

[15] DEFRA (2004): *Making Space for Water: Developing a new Government strategy for flood and coastal erosion risk management in England.* Consultation document of Department for Environment, Food & Rural Affairs (DEFRA). July 2004

[16] DEFRA (2005): *Making Space for Water: Taking forward a new Government strategy for flood and coastal* erosion *risk management in England.* Prepared by UK Department for Environment, Food & Rural Affairs (DEFRA). March 2005

[17] Evans, S Y, Moore, D & Butcher, P (2002): *Flood risk mapping and control of* development *in floodplains in the UK*. Flood Defence 2002. Proc., 2nd Intl Symp on Flood Defence; Beijing, Sept.2002.1,171 ~ 178 pp

[18] Falconer, R A & Harpin, R (2002): *Catchment flood management: a UK perspective and experience*. Flood Defence 2002. Proc., 2nd Intl Symp on Flood Defence; Beijing, Sept.2002. 1,34 ~ 47 pp

[19] FEMA (2002): *National Flood Insurance Program. Program Description*. Report by Federal Emergency Management Agency, August 2002

[20] FEMA (2004): *National Flood Insurance Program*. FEMA Mitigation Div. web-site. www.fema.gov/ fima/nfip.shtm

[21] Freeman, P K, Scott, K, Westerburg, L&Dais, J(2004):*Disaster financing in OECD and emerging countries*. Presented to 5th Conference on Insurance Regulation & Supervision in Latin America, May 2004

[22] Ghani, M U (2001): *Participatory strategy for flood mitigation in East and Northeast India: Case study of the Ganges-Brahmaputra-Meghna basin*. Report posted on the web-site of UNESCAP. www.unescap. org/esd/water/disaster/2001/india.doc

[23] Green, C H, Parker, D J & Tunstall, S M (2000): *Assessment of Flood Control and Management Options*. Prepared for the World Commission on Dams (WCD) by Flood Hazard Research Centre, Middlesex Univ. UK. WCD Thematic Review Options Assessment no.IV.4. November 2000

[24] Guist, C (2003): *Flood protection in Germany after the catastrophic floods of 2002*. Goethe Institut website www.goethe.de/kug/ges/umw/thm/en35603.htm

[25] Guy Carpenter & Co. (2004): Floods in South-eastern France December 2003 (Les Inondations du Sud-est de la France de Décembre 2003). 48 pp

[26] Heng, L (2005): *Experiences and trends of flood management in China*. Proc., Symposium Floods, from Defence to Management, Nijmegen, May 2005.327 ~ 330 pp

[27] Holway, J M & Burby, R J (1993): *Reducing flood losses: local planning and land use controls*. Journ.American Planning Assoc., 59 (1993)

[28] Huber, M (2004): *Reforming the UK Flood Insurance Regime*. Discussion paper no.18. Economic & Social Research Council (ESRC) Centre for Analysis of Risk and Regulation. January 2004. 22 pp

[29] IPCC (2001): *Climate Change 2001: Impacts, Adaptation and Vulnerability*. Contribution of the Working Group II to the 3rd Assessment Report of the Intergovernmental Panel on Climate Change

[30] IWHR (2003): *Policies and Measures on Flood Disaster Reduction in China since 1998*. UN Case Study, by Research Centre on Flood and Drought Disaster Reduction, of Institute of Water Resources & Hydropower Research (IWHR), Beijing, December 2003. 44 pp

[31] Jarraud, M (2005): *State of the art in policy development and implementation – from flood management to_integrated flood management*. Keynote speech, Symposium Floods, from Defence to Management, Nijmegen, May 2005

[32] Kok, M, Vrijling, J K, van Gelder, P H A J M & Vogelsang, M P (2002): *Risk of flooding and insurance in the Netherlands*. Flood Defence 2002. Proc., 2nd Intl Symp on Flood Defence; Beijing, Sept.2002. 1,146 ~ 154 pp

[33] Kron, W (2003): *Flood catastrophes: causes-losses-prevention from an international re-insurer's viewpoint*. Paper presented at Intl. Workshop on Precautionary Flood Protection in Europe, Bonn, February 2003. www.ecologic-events.de/floods2003/de

[34] Larson, L & Plasencia, D (2001): *No adverse impact: a new direction in floodplain management policy*. Paper published in Natural Hazards Review, November 2001

[35] Li, K (2005): *Conceptual changes and practices on flood disaster mitigation in China.* Proc., Symposium Floods, from Defence to Management, Nijmegen, May 2005. 861 ~ 866 pp

[36] Lloyd's (2004): *France: Natural catastrophe insurance requirements and reinsurance.* Market Bulletin, April 2004. 4 pp

[37] Mostert, E (2003): *Reactivating floodplains, the socio-economic aspects.* Paper presented to Intl. Workshop: Precautionary Flood Protection for Europe. Bonn, February 2003. www.ecologic-events.de/ floods2003/de

[38] MAFF (1999): *Flood and Coastal Defence Project Appraisal Guidelines.* UK Ministry of Agriculture, Fisheries & Food (MAFF). December 1999

[39] MWR / The World Bank / AusAID (2001): *Agenda for Water Sector, Strategy for North China.* Report prepared by The World Bank, Sinclair Knight Merz and Egis Consulting, the General Institute of Water Resources & Hydropower Planning and Design (GIWP), the Institute of Water and Hydropower Research (IWHR), the Institute of Hydrology and Water Resources (IHWR), and the Chinese Research Academy for Environmental Sciences for the Ministry of Water Resources, WB and Australian Aid for International Development (AusAID). April 2001

[40] Nedeco/Delft (2001): *Flood Management Study of Hai River.* Water Sector Action Plan prepared for The World Bank by Netherlands Engineering Consultants (Nedeco) and Delft Hydraulics. July 2001

[41] NSW Government (2001): *Flood Management Manual: The Management of Flood Liable Land.* New South Wales Government, Australia, January 2001

[42] Olsthoorn, A A & Tol, R S J [eds.] (2001): *Floods, Flood Management and Climate Change in The Netherlands.* Institute for Environmental Studies, Vrije Univ., Amsterdam (2001)

[43] ONCCCC (2004): *The People's Republic of China Initial National Communication on Climate Change.* Executive Summary. Office of the National Coordination Committee on Climate Change, Beijing, October 2004

[44] OST (2004): *Foresight: Future Flooding.* Report by UK Office of Science & Technology. April 2004

[45] Paklina, N (2003): *Flood Insurance.* Paper written for OECD, October 2003. 26 pp

[46] Parisi, V R (2002): *Floodplain management and mitigation in France.* Report on Disaster Mitigation in Urbanized Areas Workshop, Paris, March 2002. www.floods.org/PDF/Paris_Meeting_Summary.pdf

[47] Petrascheck, A (2003): *The 'Action Plan on Flood Defence' of the International Commission for the Protection of the Rhine as an example for European cooperation.* Paper presented at Intl. Workshop on Precautionary Flood Protection in Europe, Bonn, February 2003

[48] Porter, J W (2002): *Impacts of water management options on flows in the Condamine River in Southern_Queensland.* Water Science Technology, 45(11):233 ~ 240

[49] Schmidtke, R F (2000): *Forward-looking integrated flood protection: Germany's strategic perspective.* Paper presented at Ecosystem & Flood Conf., Hanoi, June 2000. www.geos. unicaen.fr/mecaflu/eco_web/HTML/b2.htm

[50] Shrubsole, D, Brooks, G, Halliday, R, Haque, E, Kumar, A, Lacroix, J, Rasid, H, Rousselle, J & Simonovic, S P (2003): *An Assessment of Flood Risk in Canada.* Institute for Catastrophic Loss Reduction, Univ.of Western Ontario; ICLR research paper no.28. January 2003

[51] Ti, L H (undated): *Experiences of Flood Control and Management in Asia Relevant to Economic and Social Development Strategies for Central Vietnam in the 21st Century.* UN Economic and Social Commission for Asia and the Pacific (ESCAP)

[52] UNCTAD (1995): *Comparative examples of existing catastrophe insurance schemes.* Background document by the United Nations Conference on Trade & Development secretariat, September 1995. 29 pp

[53] UNESCO-IHE (2001): *Living with floods: Strategy development for flood management in the Rhine Basin.* UNESCO-IHE Institute for Water Education web-site. www.ihe.nl/vmp/articles/Projects/ PRO-RD- LWF1.html

[54] UN/ISDR (2003): *Water for People, Water for Life.* UN World Water Development Report, March 2003. Particularly chapter 11: Mitigating Risk and Coping with Uncertainty

[55] UN/ISDR (2005): *Hyogo Framework for Action* 2005 ~ 2015: *Building the Resilience of Nations and Communities to Disasters.* Abstract from advance copy of Report on World Conference on Disaster Reduction, Hyogo, Japan. United Nations, International Strategy for Disaster Reduction, January 2005

[56] Wang, S (2002): *Resource-oriented Water Management: Towards Harmonious Coexistence between Man_and Nature.* China Water Power Press (Beijing) 2002

[57] Wang, Z Y, Wang, G Q & Liu, C (2005): *Viscous and two-phase debris flows in southern China's Yunnan Plateau.* Water International, 30(1):14 ~ 23

[58] Wolters, H A, Platteeuw, M & Schoor, M M [eds.] (2001): *Guidelines for*

Rehabilitation and Management of Floodplains. NCR publication 09-2001. IRMA (2001)

[59] WMO / GWP (2003): *Integrated Flood Management*. Associated Programme on Flood Management technical paper no.1. World Meteorological Organization / Global Water Partnership, 2003

[60] XIPCC/BCR/IWHR (2004): *Study on Key Counter-measures for Flood Control Security* (in Chinese). Prepared for the Ministry of Water Resources by Xinhua International Project Consulting Company (XIPCC), Bureau of Comprehensive Development (BCD) and the Flood & Drought Disaster Reduction Research Center of the Institute for Water Resources & Hydropower Research (IWHR)

[61] Yan Alphen, J, van Beek, E & Taal, M (2005): *Floods, from Defence to Management*. Proc., 3rd International Symposium on Flood Defence, Nijmegen, May 2005

[62] Zhang, H L (2005): *Strategic Study for Water Management in China*. Southeast University Press, 2005. 129 pp

[63] 安徽省淮南市科委，中国水利水电科学研究院. 行蓄洪区移民安置与小城镇建设研究总报告. 国家软科学研究项目(Z97012). 北京. 1998.9

[64] 洪庆余. 中国江河防洪丛书 · 长江卷. 北京：中国水利水电出版社, 1999

[65] 程晓陶. 新时期大规模的治水活动迫切需要科学理论的指导——一论有中国特色的洪水风险管理. 水利发展研究，2001(4)

[66] 程晓陶. 探求人与自然良性互动的治水模式——二论有中国特色的洪水风险管理. 水利发展研究，2002(1)

[67] 程晓陶. 风险分担，利益共享，双向调控，把握适度——三论有中国特色的洪水风险管理. 水利发展研究，2003(3)

[68] 程晓陶，吴玉成，王艳艳，等. 洪水管理新理念与防洪安全保障体系的研究. 北京：中国水利水电出版社，2004

[69] 鄂竟平. 2003 年全国防办主任会议工作报告. http://www.mwr.gov.cn, 2003.1.16

[70] 鄂竟平. 大力推进两个转变,提高防汛抗旱能力——在 2005 年全国防汛抗旱工作会议上的讲话. 2005.1.10

[71] 洪庆余，罗钟毓. 长江防洪与'98 大洪水. 北京：中国水利水电出版社, 1999

[72] 胡鞍钢. 中国走向. 杭州：浙江人民出版社, 1999

[73] 胡鞍钢，王绍光. 政府与市场. 第 1 版. 北京：中国计划出版社, 2000

[74] 淮河水利委员会. 中国江河防洪丛书·淮河卷. 北京：中国水利水电出版社, 1996

[75] [美] A. M. Sharp, C. A. Register, P. W. Grimes. 社会问题经济学. 郭庆旺，应惟

伟译. 北京：中国人民大学出版社, 2000

[76] [美]Robin W. Boadway, David E. Wildasin. 公共部门经济学. 邓力平主译.北京：中国人民大学出版社, 2000

[77] [美]保罗·A·萨缪尔森,威廉·D·偌得豪斯. 经济学. 第12版. 高鸿业等译.北京：中国发展出版社, 1992

[78] 李建生. 中国江河防洪丛书·总论卷. 北京：中国水利水电出版社, 1999

[79] 刘树坤, 杜一, 富曾慈, 等. 全民防洪减灾手册. 吉林：辽宁人民出版社, 1993

[80] 水利部. 全国水利发展"十五"计划和到2015年的规划思路报告. 2005

[81] 水利水电科学研究院《中国水利史稿》编写组. 中国水利史稿(下册). 第1版. 北京: 水利电力出版社, 1989

[82] 水利部淮河水利委员会. 淮河流域防洪规划简要报告. 2004.9

[83] 向立云. 移民建镇典型调查与分析. 水利发展研究, 2002(12)

[84] 向立云. 洪水管理的约束分析. 水利发展研究, 2004(6)

[85] 向立云. 我国洪水管理的几个方向性问题. 水利发展研究, 2003(12)

[86] 汪恕诚. 资源水利——人与自然和谐相处. 北京：中国水利水电出版社, 2003

[87] William J. Petak, Arthur A. Atkisson.自然灾害风险评价与减灾政策. 向立云, 程晓陶, 等译. 北京：地震出版社, 1993

[88] 武汉水利电力学院、水利水电科学研究院《中国水利史稿》编写组. 中国水利史稿(上册). 第1版. 北京：水利电力出版社, 1985

[89] 武汉水利电力学院《中国水利史稿》编写组. 中国水利史稿(中册).第1版. 北京: 水利电力出版社, 1987

[90] 蓄滞洪区运用补偿暂行办法. 2000

[91] 蓄滞洪区安全与建设指导纲要. 1991

[92] 徐乾清, 等. 中国防洪减灾对策研究. 北京：中国水利水电出版社, 2002

[93] 张万宗, 等. 国外的洪水与防治. 郑州：黄河水利出版社, 2001

[94] 张志彤. 2004年全国防办主任会议工作报告. 2004.2

[95] 郑浩. 中华人民共和国防洪法实务全书. 北京：中国建材工业出版社, 1998

[96] 中华人民共和国防洪法. 1997

[97] 中华人民共和国水法. 2002

[98] 中华人民共和国土地管理法. 1999

[99] 中华人民共和国水利部. 淮河 2003 年大洪水. 北京: 中国水利水电出版社, 2003

[100] 周魁一. 21 世纪我国防洪减灾战略刍议——建设全社会的综合防洪减灾体系. 科技导报, 1998(12)

致 谢

“中国洪水管理战略研究”是亚洲开发银行首次开展的由项目执行机构选聘咨询专家的试点技术援助项目之一。作为执行机构，水利部对此项目给予了高度重视，设立了项目管理办公室并成立了技术小组。在实施过程中，国家防汛抗旱总指挥部办公室，水利部规划计划司、国际合作与科技司和项目管理办公室的有关领导以及技术小组的各位专家提出了很多宝贵意见，他们鼓励相关部门参与合作的精神给专家组留下了深刻的印象。项目管理办公室开展了大量的组织协调管理工作，为项目的成功实施提供了有力保障。

亚洲开发银行项目经理为本项目的准备和实施付出了很多心血。他们渊博的专业知识和丰富的管理经验使专家组受益良多。

中华人民共和国财政部、国家发展和改革委员会、民政部、国土资源部、建设部，以及河北、浙江、安徽、陕西、湖南和广东6省防汛抗旱指挥部办公室等单位对项目给予了大力支持和帮助，在此谨致以最衷心的感谢！

“中国洪水管理战略研究”专家组

2006年3月